ウクライナ、ガザ、そして「松本人志問題」へ

「世界史的課題」に挑むための、私たちの小さな試み Ⅱ

佐藤幹夫 ⇄ 村瀬学

SATO Mikio
⇅
MURASE Manabu

論創社

ウクライナ、ガザ、そして「松本人志問題」へ

――「世界史的課題」に挑むための、私たちの小さな試みⅡ

まえがき／佐藤幹夫

本書は、村瀬学さんと佐藤による二冊目の「往復メール集」です。

前著の刊行が二〇二二年六月。その四カ月ほど前、発行の準備が最終段階に入ったちょうどその時期にプーチン－ロシアによるウクライナ侵攻が引き起こされました。そして今、ハマスによるイスラエルへの突然の奇襲を皮切りとして、終わりの見えないガザ地区への報復攻撃が、依然として続いています。次の火薬庫は東アジアではないかと危惧されていますが、いずれも第二次世界大戦と冷戦の際の、戦後処理で先送りにされて来た課題がここにきて一気に噴出していると感じられます。

目次をご覧いただけば明らかなように、本書は二つの戦争に挟まれながら、そのときどきにメディアを騒がせていた話題を取り上げています。一見すると世相を相手にした「情況論集」というかたちを採っていますが、そこからどうすれば「世界史」という普遍に通じていく理路をつくることができるか、村瀬さんはもちろんのこと、及ばずながら佐藤も念頭に置いていたのはそのような問いでした。

今回も前著同様、激変する国内や世界の状況を、どうやったら自分たちの言葉でつかまえることができるか、微力ながらも立ち向かおうとしています。生成ＡＩが出版業界を席巻し、文筆稼業など、よほどのことがない限り一掃されそうだと危惧されている今、「現代的課題」をどんな問いの形にすればよいのか。そのあたりの工夫や格闘を、ぜひとも読み取っていただければと思います。

（二〇二四年三月二五日）

目次

まえがき／佐藤幹夫　i

I　ウクライナ戦争

〈第一信〉村瀬学
ウクライナ戦争　私たちは何を見ているのか　2
(1) 出来事を見る四つの次元について　2
(2) 「「世界史」的な背景」について　7
(3) ロシアと鏡像にあるアメリカの国際金融主義の不気味さ　11
(4) ロシア、アメリカの、双方への懸念　13
(5) 唯一の希望　14
(6) マルクスの「プロレタリア独裁」と吉本隆明の「替わりばんこ」の思想　17
(7) ソルジェニーツィンの『甦れ、わがロシアよ』から　20
(8) 「惨状」と「世界史」を「環」にする思考を　23
(9) 「火の七日間」と「青き衣を着て、金色の野に降り立つ者」　26

〈第二信〉佐藤幹夫
ロシア-ウクライナ戦争と、平和思想としての「海洋国家」論　29
(1) ワクチン接種と汚染されるメディア情報　29
(2) 情報総力戦争とはどんなものか　31
(3) 地政学的に見たウクライナ　35
(4) 沖縄と「海洋国家日本」　40
(5) 「海洋国家日本」はなぜ忘れられたのか　41
(6) 新たな平和思想としての「海洋国家論」　46
(7) 戦争と、「何もできない存在」と非暴力の抵抗思想　50
Ⅱ　記録、世界史、ナラティヴ、フェイクニュース
〈第三信〉村瀬学
世界史から「兵士」になることを考える　58
(1) 二〇二二年の出来事――「兵士」として現れる　58
(2) 政界と教会　60

(3) 魔女狩り――土着の信仰とキリスト教 63
(4) 実業家の出現と「有用性」に基づく「正義」の現れ 64
(5) 「正義」の実行者としての「兵士」 66
(6) ウクライナ戦争の時代へ 67
(7) 誰が「魔女」を見分けるのか 71
(8) 『津久井やまゆり園「優生テロ」事件、その深層とその後』を読んで 72
(9) 記録から世界史へ 77
(10) 「美」を求めるあまりに 79

〈第四信〉佐藤幹夫
ポスト・トゥルースの時代と「新しい戦前」のはじまり 82

(1) 「事実」の記録が、なぜこんなに難しくなったのか 82
(2) 津久井やまゆり園事件における「取材拒否」について 84
(3) 現代のドキュメンタリーを阻む「壁」 86
(4) 「裁判資料の廃棄」という事態の意味するもの 89
(5) 「現実／虚構」の二元論世界から入れ子構造の多重世界へ 93
(6) ポスト・トゥルースの時代と「新しい戦前」のはじまり 96
(7) ナラティブ、フェイク、陰謀論 98

(8) 疑似宗教としての陰謀論 102
(9) ポスト・トゥルースの時代と「ソフトな独裁政権」 104
(10) オウム真理教の〝二元構造〟と、統一教会の〝入れ子構造〟 107

Ⅲ 追悼・小浜逸郎

〈第五信〉村瀬学
「エロス身体」と「季節体」の近さについて――小浜逸郎さんの核心の思いの方へ 114
(1) 庭の花 114
(2) 「エロス的身体」への着目と「死」への関心 116
(3) 「言語」へのこだわり 118
(4) 方言の理解 120
(5) 方言の中の『歎異抄』 125
(6) なぜ「死」を考え「殺人」までゆくことが起こるのか 128
(7) 家族がなぜ「相互関係を育む場」になるのか 131
(8) なぜ「エロス関係」が言語に関わるのか――「方言」を考えるために 134
(9) 再び「わが庭」について 137

〈第六信〉佐藤幹夫
遠くで見える「近さ」と近くで見る「遠さ」 140
(1) 小浜逸郎との「近さ」という着眼 140
(2)『時の黙示』と「思想の後退戦」 143
(3) 深い共感のなかに萌した微妙な違和 153
(4)『「弱者」とはだれか』をめぐって 160
〈第七信〉村瀬学
佐藤さんの返信への、取り急ぎの返信 165
Ⅳ 「福祉」の言葉は今、どこにいるのか
〈第八信〉村瀬学
福祉にとって「美」とはなにか 174
(1) 小学生の女の子からの問い 174

(2)「ともに（倫理）」と「ととのえ（美学）」と 177
(3)「倫理の一旦停止」――アブラハムの息子の問題 180
(4)『ノートルダムの鐘』の問題 181
(5) ジャニーズ問題 184
(6) ジャニーズ問題と『山椒大夫』 188
(7)『ハンチバック』（市川沙央）から見えてくるもの 192
(8)「パレスチナ－イスラエル」の問題 199

〈第九信〉佐藤幹夫
映画『月』をめぐる批判、その「差別糾弾の論理」への異論 204
(1)「表」と「裏」について 204
(2)「ともに（倫理）」と「ととのえ（美学）」と、個人的な経験 206
(3)「差別」の問題を、どこからどう考えていけばよいのか 212
(4) 竹田青嗣さんの「在日論／反差別論」について――思想の「一階」の問題 215
(5)「告発」や「糾弾」とならない差別克服の論理を 218
(6)「壁」の向こうの「関心も同情も善意もない人たち」 219
(7) オフィシャルサイトのコメント執筆を引き受けた訳 222
(8)「商業映画」としてのリスクを背負うこと 225

(9)「匿名」を強いられる暴力、「匿名」による暴力 227
(10)「自分たちの福祉からなぜ植松は出てきたのか」と、どうして問わないのか 230
(11)『月』への批評の言葉は〝合わせ鏡〟である 232

〈第一〇信〉村瀬学
「松本人志問題」から「世界史」への視座を――あとがきに代えて 236

(1)「芸のためなら女房も泣かす」 236
(2) タモリ、たけしとの違い 238
(3) 吉本隆明の松本人志の「芸」批判 241
(4)「松本人志問題」から「世界史」へ 245

ウクライナ、ガザ、そして「松本人志問題」へ

――「世界史的課題」に挑むための、私たちの小さな試みⅡ

Ⅰ　ウクライナ戦争

〔第一信〕村瀬　学

ウクライナ戦争　私たちは何を見ているのか

(1)　出来事を見る四つの次元について

ウクライナ戦争（二〇二四年二月二四日、ロシアのウクライナ侵攻）がはじまり、心のざわつきが収まらず、何かを書かなくてはと思いながら、でもそうはいっても、「ウクライナ戦争」についてて何かを書くというのは、テレビやネットで見たような、あるいはテレビやネットで解説しているようなことを、書き直すことにしかならないおぞましさも感じていて、そんなことは書きたくないことも感じています。それでも、私たちはこういう「ニュース」を見る事によってしか、何かを得ることは出来ないところにいるものですから、こんな事態だからこそ、何を見ているのか、何を見ないといけないのかについての「思い」くらいは書きとめておかなくてはと思ったりもしています。

大事な事は、いくつかの次元に分けて考える必要があると思います。私は話を単純にするために最低四つの理解の次元を分けて考えてみたいと思います。

1 「惨状」の理解（自然災害から戦争災害まで）――「生としての人間」「人間と大地」をみる次元。

2 「戦場」の理解――「敵／味方」をみる次元。

3 「戦況」の理解――「ゲーム（試合）」の勝敗をみる次元。「報道」「解説」されるニュースなど。

4 「世界史」的な理解――「力」「活力」をみる次元。「力」とは、広い意味で「自然の力」「人々の力」「動力（機械）」「財力」を含む。

1の「惨状」の理解

これは「生」（衣食住）の脅かされる、誰が見ても心が張り裂けるように感じる状況の理解です。自然災害を含め、もしも自分の家が、自分の家族が……というように、自分のことと置き換えてみるといたたまれなくなる次元の出来事です。住む場所を奪われ、日常の当たり前の暮らしを奪われ、さらには外国に逃れ難民として、台所もトイレも風呂もないテントの中で暮らさざるを得ない生活。それは現場や現状にいる人が直接に感じるところと、報道や映像を通して感じるところがありますが、共通しているのは、「かわいそう」とか、「なんてひどいことが」とか、「なんとかしてあげないと」と感じてしまう状況です。こういう状況には、まずは最初に、具体的に衣食住の支援がなされてゆくわけですが、「惨状」を見るというのは、そういうふうに動かざるを得ないところがあるんですね。そしてこの「惨状」は、ほんとうにその現場にいるか、その現場を写したものによってしか、伝えられないものがあります。この現場を写すものの中に、文学があります。前のお便りで、私はソルジェニーツィンの『イワン・デニーソヴィッチの一日』の一節をお伝えしていたのですが、発表された当時この小説は、ソビエト連邦の中に、そんなひどい「惨状」のあることを世界に不当に知らせるものになっているとして、ソビエト作家協会から猛然と批判されたものでした。癩病とか水俣病と呼ばれてきた「惨状」の多くも、「惨状」を見つめる映像と文学によって、具体的に歴史に残されてきたと思います。

（現在のウクライナの「惨状」は、若いエンジニアたちによって、後の平和時に撤去・整備されてしまう前に、3Dの立体画像技術でもって保存する取り組みがなされているとのことです。「惨状」が消されてしまわないようにするための、新しい時代の取り組みです）

2の「戦場」の理解

ところで、人々の苦しむひどい「惨状」を見たら、誰もが「かわいそう」に思うかというと、そういうことはないんですね。ウクライナに侵攻したロシア兵士は、瓦礫と化した家や町を、自分たちの作戦の「成果」の跡としてみるでしょう。それは、状況を「惨状」ではなく、ただの「戦場」と見ているからです。中国に侵攻したかつての日本軍や、沖縄に侵攻したアメリカ軍も、瓦礫と化した建物の上に自国の国旗を立て、誇らしげに撮っている写真がありました。「戦場」と化した状況下では、「惨状」などいう「理解」は許されないものです。「成果」をあげているか、どうかだけで見積もられるのが「戦場」で、それは「兵士の目」で見られる状況です。というか、「兵士になること」ではじめて見えてくる状況だと思います。道ばたで、途方に暮れている住民を見ても、「かわいそう」と感じる前に、その者が自国の進軍を「歓迎」している者か「非難」している者かの基準で問い詰める相手にしか見えず、それは相手を敵か味方かに分けるためのもので、「敵」とみなされたら相手が兵士でなくても「殺し」てもいいことを命じられているという次元です。

ベトナム戦争下でも、道ばたで両手を合わせて哀願する住民を、「敵」に密告するスパイのようにみなしてピストルで撃ち殺す写真がありました。今度のウクライナ戦争でも、住民を殺害した罪で二一歳の若いロシア兵が裁判を受け、罪を認めて終身刑の処罰を受ける映像が放映されていました。

「戦場」に送られる「兵士」は、「戦場」にいるものを「生としての人間」と見る見方を捨てて、「敵」か「味方」かに分けて見るように仕向けられ、教育され、訓練されているわけですから、本人の意志と関わりないところで、「残虐非道」なことをしなくてはならなくなっています。

そういう状況を、従軍記者や従軍カメラマンが、現状を「ニュース」として取材、報道しています。そのニュースは、「惨状」と「戦場」の入り混じったもので、飛んでくる爆弾の音に身を潜めながら、「取材」をしている現状報告から、軍事偵察衛星などの情報を踏まえ、それぞれの国の軍部が発表する刻々と変わる戦闘状況の「説明」なり「解説」する次元です。そこには瓦礫と化した家々と共に、崩れ落ちた橋や爆破された戦車やトラックの残骸、砲弾の跡などがあったりします。

3の「戦況」の理解

「惨状」と「戦場」の現状報告では、何が起こっているのか分からないので、「地図」を見せ、「戦い」を地理的な勢力図として説明しています。「惨状」と「戦場」の取材のデータを集め、総合し、そういう個々の「現状」だけでは見えない大きな状況の、分析なり説明がなされるのが、「戦況」の説明です。

これはテレビ局のスタジオで、その筋の「専門家」が呼ばれ、どこから手に入れたのかわからない「内緒」の資料にも基づき、雲の上から見ているように、「敵」の動きや、「作戦」の「成果」などについての状況説明がなされます。私たちは、その「勝敗のゆくえ」を、まるで「ゲーム感覚」のようにして聞いてしまいがちです。

そしてその「ゲーム感覚」の高揚感を、意図的に作り出そうとしているテレビ局やマスコミの動きもとても気になります。というのも、「惨状」や「戦場」の切れ切れの情報は、それをつなぎ合わせて、何かに都合の良いストーリーに仕立てられる事があり、その操作されたストーリーで、視聴者の「ゲーム感覚」の高揚感も違ってくるからです。そういう操作はとても気になります。

さらには、そういう「情報操作」は、敵国同士の情報攪乱の手段に使われていることへの危惧もあります。戦争になれば、お互いの国に有利なように情報は加工され、視聴者に届けられるわけですから、そのことも気になります。

こういうふうに見れば、「惨状」「戦場」「戦況」は、他国にいる私たちが、「現状」を「ありのまま」を見ているわけではなく、「操作された情報」として、受け取らざるを得ないところにいることも、よくわかります。

そんな中で、さらに私がどうしても冷ややかに見てしまう部分があります。それは、「報道」の中ではどうしても「見る」ことのできない部分で、またそれは「報道」では、どうしても見せることのできない部分についてです。この見えない分について、では誰ならよく見えているのかというと、ほとんどの人が、何かしらぼんやりした「影」のようなものとしてしか意識できないところがあるのです。でも、いままでの往復メールのやり取りを踏まえながら考えると、見えないトラのしっぽくらいは見える所がありそうなので、それを少し書いてみたいと思っています。

(2)「「世界史」的な背景」について

4の世界史的な理解

「世界史」的な背景などといえば、大げさな感じがしないわけではありませんが、自分の理解し得る範囲を越えたところで考えるものではありませんから、知ったかぶりはいたしません。

私の思う「世界史」は、「活力」の相互作用の歴史を見るものです。「活力」といっても、大きな政治力や、大企業の資本力から、人口動態の力、そして人々の小さな訴える力まで、物事を動かす力のことを指しています。アーレントなら「活動的生」というかもしれないようなものまでを含むものと考えます。

今回のウクライナ戦争で、まず私の痛烈に感じてきたのは、ロシア、ウクライナの双方が、この三ヶ月近くで投入してきた「武器」の多さです。戦争に勝利者はいない、などという人もいるでしょうが、この投入される武器の多さの裏には軍事産業があって、さらにそれに関連する多くの企業があるわけで、そういう産業は戦争が続く限り、収益の増えることは素人の私でもわかります（戦後に起きた朝鮮戦争で、日本の産業が潤ったといわれる「戦争特需」のように）。

片方に、「惨状」や「戦場」という次元でみられる民間人や兵士の置かれる生死を賭けた地獄のような現実がある一方で、方や、「ウクライナ支援」や「ロシアの正義」という名目で、どんどんと最新の武器を製造販売して儲けている産業の、その両方の現実があるのがわかります。

となると、このウクライナ戦争は、ウクライナ、ロシアのそれぞれの主張とは別に、そこでは見えない所で、「儲けの話」を「侵攻」させている者たちがいるという、そういう「事実」があることについてもとても気になります。

ロシアのプーチンは、ソビエトの崩壊（一九九一年）後、弱体化したロシアの地下資源（天然ガス、石油石炭など）を狙って、アメリカの国際金融資本が動いていると考えていました。そのことを語る『NHKBS　世界のドキュメンタリー　オリバー・ストーン・オン・プーチン　前編後編』（二〇一八年三月放映）は、二年にわたるプーチンへのロングインタビューとして、とても興味深いものでした（アメリカでは、このインタビューはプーチンの言い分を一方的に聞く、プーチンのプロパガンダに利用されたものだと批判されてきたのですが、冷静に注意深くインタビューされたものであることは、見ればわかります）。確かに、このインタビューの中では、大統領になったプーチンが、ソビエトに代わる、強くて経済力のあるロシアを再建するという愛国心に訴えて、ロシア国民から熱狂的な支持を得てきたことが示されていますが、事実の一面を捉えていたと思います。そして、情報は操作されているとしても、ソビエト崩壊後の経済は回復し、偉大なロシアは再建されているかのようにロシア国民も思わされてきました。

でも、実際のプーチン率いるロシアは、独自の国家資本主義を構想し、オリガルヒと呼ばれる資本財閥を国家体制の手中に収め、その財力を自分の有利な国家体制ために使っていったという経過がありました。先のオリバー・ストーンのロングインタビューの中でも、巨大な円卓のテーブルにずらりと並ぶオリガルヒの振興財閥たちが撮影されていました。完全に国家にコントロールされる財閥（というのもソビエト時代の国有化されていた企業を、プーチンが民営化させ、資本家に分け与え大儲けさせていたのがオリガルヒと呼ばれる振興財閥でしたから、プーチンのいうことを聞かないわけにはゆきませんでした）は、彼らの収益をプーチンの個人財産と彼の指示する国家運営の動力源にどうしても組み込まれるという体制になっていました。

だから同じ資本主義と言っても、ロシアでは、プーチンの手のひらから抜けて自由に企業を運営するということは認められない仕組みになっていて、莫大な企業収益は、プーチンの周辺には潤いをもたらすけれど、一般の人々の貧しさは、ソビエト時代と変わるものにはなってゆきませんでした。

こうした国家に資本家が隷属させられる国家資本主義の体制下では、国家の規模と地下資源の規模は、ほぼ同等なものになり、地理的な規模が大きければ大きいほど、国家資本の規模も大きくなり、そこから得られる国家収益は強大になるわけですから、領土を拡げる問題は、国家資本主義には死活問題としてありました。それは、国家資本主義だったソビエト連邦の領土拡張主義とまったく同質の構造です。なので、プーチンとしては、かつてのソビエトの領土が今のロシアにならなければ、偉大なロシア（ユーラシア大陸＝ロシア）」は復活しようがないわけです。そこから、ソビエト連邦崩壊後に分離した周辺国の再隷属化は当然の課題であり、とりわけモスクワに近い「小ロシア（ウクライナ）」と「白ロシア（ベラルーシ）」は、ロシアと一体であるべきで、一体でなければならない地域で、ロシアから完全に独立できるような国ではなく、また独立など許されるはずのない地域であり、そこで上げられる収益は、ロシアに還元されるべきものでした。

そういう思考回路の中で、ウクライナ侵攻も計画され準備され実施されたもので、それは決して突然に起こったものでもなく、ロシア帝国、ソビエト連邦と続いてきた本当に古くさい過去の栄光を夢見る、時代錯誤な国家再建のプランでした。

(3) ロシアと鏡像にあるアメリカの国際金融主義の不気味さ

プーチンへのロングインタビューを見ながらよく分かることは、彼がくり返し「西側」を警戒し、警告し、非難してきたのは、彼のユーラシア＝ロシア再建として思い描くような領土拡張による国家資本主義が実現できないことが見えてきたことへのいらだちでした。とくにロシアの一部であるはずのウクライナが、ソビエトの崩壊後、国家として独立の動きは許せるとしても、ロシアの国家資本主義に従順な指導者の下での独立であるべきはずなのに、そうではなくなってきたことが許せなくなっていたことでした。そして露骨に、「西側」の理念を持った指導者がアメリカの策略で政権の座に就き、さらにはＮＡＴＯの軍事同盟に加盟の意思を見せ始めるとなると、そんなことは一〇〇％許されるものではないと判断されてゆきました。その後、二〇一四年のクリミアの併合をへて（これは表向きロシアの軍隊の介入なしに成功したとされているので）、今回もウクライナをロシア圏に留めさせるために「侵攻」するのは、当然の成り行きで、それは「ウクライナ危機」として、二〇一四年から公然と指摘されてきたことでした。なので、ウクライナがロシアからはっきりと分離独立しようとする時には、必ず、そういう「戦い」の起きる火種はあったことがわかります。

このことだけを見ると、時代錯誤の帝国ロシアの再建幻想を掲げるプーチンの愚かさが引き立つのですが、このプーチンの懸念には、ある種の現実性があるのがわかります。それはウクライナの「西側」政権の樹立とNATO加盟へという懸念は、言葉の表現上はそうなっていますが、実際にはアメリカの国際金融主義が、ウクライナの政治に深く介入してきていることへの、大きな懸念と警戒感への表れとしてあったものだからでした。このままでは、ロシアの国家資本主義は、アメリカ金融主義に飲み込まれてしまうのではないかという強い恐れです。

私がそのことを実感したのは、二〇一四年のロシアによるクリミアの併合の後、オリガルヒ創業の天然ガス会社「ブリスマ」役員に、バイデン副大統領（当時）の息子ハンター・バイデン氏が就任したということを知ったときでした。当時ウクライナ担当だった父とタッグを組んで、ウクライナ政府に、アメリカの金融資本を「侵攻」させようと目論んでいたのだと思われます。もしそういうことがあったのだとしたら、今回のロシアによる「ウクライナ戦争」に対抗するアメリカ、バイデン政権の莫大なウクライナ支援も、わかるというものです。

そのことを踏まえると、「ウクライナ戦争」とは、「活力」の動きとしてみれば、ロシア国家資本主義と、アメリカ国際金融資本主義の、勢力争いの側面を持っている事もよく分かります。事実、二月末の「ウクライナ侵攻」後、次のような見出しのニュースが飛び交っていました。「プーチン大統領を支える「オリガルヒ」七人が続々と〝怪死〟」というようなニュースが。その中には、ロシアの天然ガス独占企業・ガスプロム子会社のガスプロムバンク元副社長が、四月一八日モスクワ市内の住宅で妻と娘を射殺した後に自殺。またその翌日、天然ガス大手ノバテク社の元副会長がスペインの別荘で妻子と共に死亡していた、というような見出しのニュースがありました。真偽は分かりませんが、ロシアの地下資源である天然ガスに関わる企業にバイデン・ファミリーが関わっていたり、ロシア側のその関連企業の経営者に「怪死」のニュースがながれるというのは、単なる偶然なのかと思ったりもします。別な風に言えば、アメリカもロシアの地下資源に抜きさしならぬ介入を始めていて、その介入場所がバイデンの息子のように「ウクライナ」だったとしたら、ウクライナへの「侵攻」は、まさにアメリカからとロシアからの双方から、綿密に計画され、進められてきていたと考えるのが妥当かも知れません。つまり国際金融主義と、国家資本主義の、仁義なき争いのような。

(4) ロシア、アメリカの、双方への懸念

「世界史」としてみた場合、今回の「ウクライナ戦争」の「活力」は、領土を持たない（国家の枠を越えたグローバルな）「金融資本主義」と、領土なしには成り立たない国家資本主義の、そのそれぞれの「活力」の、長い時間をかけた勢力争いのように私には見えるのですが、どちらがどうなれば、良い方向に向かうのかということでいえば、私の希望的観測は悲観的なものです。

いままでの往復メールでも、やり取りしてきましたように、世界の資本主義では、一握りの財閥が、世界全体の収入の大半を支配しているという異常な状況の中で、そういう異常性に人々が

抗議を向けないようにアメリカでも、異様な思想チェック、思想監視網が張られています。名目はイスラムの過激派や中国共産主義者への監視ということですが、実際は、富の格差に不満を持つあらゆる人々の監視です。その点では、事情は中国やロシアと全く同じで、アメリカ―ロシア―中国は、鏡像の関係です。

ですので、もしアメリカが、プーチン戦略に勝ち、プーチンをロシアの支配者の座から引きずり下ろしても、帝国ロシアを夢見る後継者が後を継げば、同じ事が起こりますし、仮に「西側」を真似る指導者を擁立できることになったとしても、ロシア内の富の格差は、そのまま「西側」の財閥によって、アメリカのような監視社会に置き換えられるだけではないかという懸念を私は持っています。

(5) 唯一の希望

ロシアと中国の国家資本主義のもつ監視体制は、もちろん異常です。でも、アメリカには「自由」があり、ロシアや中国には自由のない「監視」があるというのは違うと思います。ともに「監視」があるからです。というのも、一握りの巨万の富を得る富裕層が、生き延びられてきたのは、その反対者の「活力」を奪うように動いてきたからであって、そういう「動き」への「監視」が出来ていないと、それはできないことでした。

私は二〇二一年、たくさんの賞を総なめにした『ノマドランド』という映画を観ました。映画そのものへの私の評価はさておいて、主人公がアメリカの巨大な通販会社 Amazon で働いているシーンには驚かされました。アメリカの Amazon では、こういうふうに人々は働いているのだという実情がわかって、それは私にとっては大事な体験でした。

ところが、ロシアのウクライナ侵攻の最中の四月、意外なニュースが飛び込んできました。それは「米 Amazon. com のニューヨーク市スタテンアイランドのフルフィルメントセンターの従業員らが呼びかけて、四月一日同社初の労働組合の結成が決まった」というニュースでした。同日行った開票で、賛成が反対を五〇〇票上回る二六五四票だったとされていました。会社 Amazon は、この結果を受け、「スタテンアイランドでの投票結果に失望している。従業員にとって、会社と直接関係を持つことが最善だと信じるからだ。NLRBによる不適切かつ不当な影響力についての異議申し立てを含む対策を検討している」などという声明文を発表したとも伝えられていました。

一九九三年に創業された Amazon は、創業者ジェフ・ベゾスのイメージ通り、南米の世界一の大河アマゾン川のように、世界の隅々にあっという間に「支流」を延ばしていったのですが、二〇二二年の四月まで労働組合がなく、それがやっとできても、「投票結果に失望している」などという声明文を出していたのです。

この巨万の富を得る Amazon は、たかが二六五四票の組合賛成票に、嫌悪感というか、恐怖感というのか、そういうものを覚えているのは本当に驚きでした。彼らは富が従業員に正当に分配されることを、本当に恐れているのだと思いました。

そういう巨大財閥が、もし仮にロシアの政治転覆の後、ロシアに入り込み、自由と民主主義をもたらすように動くとは到底思えないのです。アメリカにおいてさえそうなのですから、政治力の弱っている国家の中では、うんと自分たちの都合のいいような政治の体制を作り出すだろうなと思いますから。

では、アメリカと、ロシアや中国とは、「同じ」なのかと言われればそれは違うと思います。まだしも、アメリカには政権の交代する仕組みが維持されているからです。二〇二一年は、ひどいながらも、トランプからバイデンに政権が替わりました。貧富の格差が著しいアメリカに、それでも希望があるのは、この政権交代の制度です。今回、ロシアが、国際法を無視してまで「ウクライナ侵攻」という暴挙に出ることができたのも、プーチン政権が、政権交代の仕組みがあるにもかかわらず、二〇〇〇年から、実質上二二年間大統領でいられる体制を作り上げてきたからで、あらゆる政治、行政、立法、マスメディア機関を支配下におき、監視をさらに監視するような網の目を張り巡らし、プーチンへの反対の立場を、どういうふうにしても取れないようにしてきたことが、最も大きな原動力になっていたと思います。それは中国の習近平体制と同じです。

こういうふうに長い年月にわたって、個人意志を国家意志に直結させるほど「太く」することのできる指導者が生まれると、個人の理念が直ちに国家意志として実行できることになるので、世界的な規模で、恐ろしい事態を引き起こすことも起こり得ます。

(6) マルクスの「プロレタリア独裁」と吉本隆明の「替わりばんこ」の思想

かつて、ソビエト連邦が崩壊した一九九一年の最中に吉本隆明さんが講演された記録「現代を読む」(『大情況論』弓立社、一九九二年)を読んでいたときに、「ソ連」の国家権力の在り方に触れて、語っているところがあり、それはあまりにも簡単で子どもっぽい(言い回しにも影響され)提案のように思えていたことがありました。それは次のような箇所でした。

政府とか国家の権力は町会のゴミ当番とおなじで替わりばんこでやればいちばん理想的なので、本来であれば、いやいやながら内閣総理大臣になるとか、いやいやながら政治委員である大臣になるのがいちばんいいのです。それが国家の未来の理想像だとおもいます。この新連邦条約案は額面どおりにうけとると、とても新しい未来性のあるもので、やがてそれが全世界に及ぶとすれば、民族を中心とした近代国家は解体に向かいます。つまり国家「間」でいえば国境を開き、国内でいえば民衆に国家を開き、少しずつ解体に向かうひとつの先駆けになりうるのです。(二四頁)

当時読んだときは、こんな簡単な「替わりばんこ提案」は「提案」にすらなっていないのではないかなどと思っていたものでした。しかし、その後、安倍内閣の長期化や、プーチン政権の長期化、習近平の政権の長期化をみながら、この「替わりばんこ提案」が、いかに権力の独裁化を防ぐ仕組みであるか、思い知ったものです。

ロシアでも、大統領任期の期限があったにもかかわらず、プーチンは自分の部下に一期だけは譲ってまた返り咲きを果たしました。そういう同一人物の再選を止める法案を「替わりばんこ提案」の中に織り込まないと、独裁化は止められないんですね。そういう同一人物による長期政権とその独裁化という過程がなければ、今回の「ウクライナ戦争」は起こらなかったはずだと私は強く感じています。

こうした同一人物の独裁化が、古い時代の皇帝ならいざ知らず、近代の時代になってどうして起こるのか、とても気になっています。その原因は、やはりマルクスが「プロレタリア独裁」にお墨付きを与えたということを思い出さないわけにはいきません。これも私が理解し得る「独裁＝絶対主義」に関わる範囲内においてですが、マルクスはこう書いていました。


資本主義社会と共産主義社会のあいだには、一方から他方への革命的な変化の期間がある。これに対応して、政治的な移行期間もまた存在しているのであって、この期間の国家はプロレタリアートの革命的独裁でしかあり得ない。（細見和之訳『ゴータ綱領批判』筑摩書房、二〇〇五年、九九頁）

多くの人はマルクスの「資本主義」批判を評価しますが、この「プロリタリア絶対主義」の一文が世界にもたらした深い不幸を取り上げてくれる人は目立たないように感じています。「プロレタリア独裁」という耳当たりのいい用語でもって、個人の政治家を、恐ろしい「独裁者＝絶対君主主義者」に仕立てていったという過程です。その初代の「独裁者＝絶対君主主義者」はスターリンですが、その継承者が、今の「ロシア」、「中国」、「北朝鮮」に生まれています。

吉本隆明さんは、「プロレタリア独裁」について、マルクスの当初の意味に即して次のように理解するのがいいと語っていました。

〈独裁〉という概念はぼくは割に明瞭だとおもうわけです。〈独裁〉という概念は、近代国家の解体、つまりコミューン型国家にするという意味であって、それ以外の意味はもたないとぼくはおもっています。だから〈独裁〉という概念に、ひどいアジア的専制君主みたいなのがいてというイメージがつきまとっているとすれば、それはまったくそう理解しないほうがいいので、〈独裁〉＝コミューン型国家の形成と理解したほうがいいような気がしますけれども。

だけどプロレタリアートという概念は、これはもはや使っても使わなくてもいいんじゃないか。これからますますそうなっていくんじゃないかとおもうわけです。だからプロレタリアートということばのなかで、確かに貧困で明日も飢えるかもしれない人間というのが第三世界とかアジアにはいるわけですが、それとは別に、もっと豊かなイメージで描かなければならないプロレタリアートというのがいて、その広がりをどうとらえるかが問題になってくる。プロレタリア独裁というのが問題になるとすれば、そこだとぼくはかんがえているんです。

（『マルクス─読みかえの方法』深夜叢書社、一九九五年、九三頁）

吉本さんは、できるだけ「プロレタリア独裁」のイメージを、スターリンの独裁のようなイメージから、離れたところで理解しようとしているのがわかります。しかし、いったん「プロレタリア独裁」が「個人の独裁」にすり替えられていく道がある以上は、「独裁」が「絶対者」として立ち回る未曾有の悲劇への道は、確実に確保されていたと思います。今回の「ウクライナ戦争」も、ある意味では、マルクスの敷いた「プロレタリア独裁」のレールの上で起こっていた出来事だとも私は感じています。

(7) ソルジェニーツィンの『甦れ、わがロシアよ』から

以前のお便りでも、少しソルジェニーツィンに触れました。実はソビエト連邦が崩壊した後の一九九四年に、彼は亡命先アメリカからロシアに戻ってきていて、二〇〇〇年には、プーチンとも会っています。ソ連時代には迫害されたこのノーベル賞受賞作家と会っている姿を世界に見せるのは、得策だと当時のプーチンは考えていたのでしょう。しかし、彼はソビエトの崩壊する前

年に書き上げた『甦れ、わがロシアよ』（木村浩訳　日本放送出版協会、一九九一年）で、ソビエト連邦を構成していた周辺国で、独立の希望を持つ国は独立を認めるべきだと主張していて、およそプーチン政権とは相容れない見解を持っていました。この本の中で、彼の母親は、ウクライナ人で「わたしじしん、半分近くはウクライナ人であり、子どもの頃はウクライナ語の響きのなかで育った」と書いていました。そして、ロシア人とウクライナ人は入り混じっていて、分けることが出来なくなっているとも。

もしウクライナ民族が実際に分離を望むなら、それを無理に抑えることは誰にもできない。国土の広い国は多様である。地元の住民は自分たちの地方、自分たちの州の運命を決めることができる。そして、その地方で新しくできた少数民族は、同じよう暴力にあってはならないのである。（二七頁）

この十二の共和国が完全に離脱する確かな権利をもつことを、今ただちに、きっぱりと宣言しなければならない。（三二頁）

今や目覚めようとしているロシアの民族意識が多くの場合、大国的な思考、帝国のまやかしの虜となって、本来ありもしない大げさな「ソビエト的愛国主義」を共産主義者たちから受けつぎ、「偉大なソビエト大国」を誇りに思っているのをみると、私は憂慮にたえない。（一六頁）

すでに半世紀にわたって働くことが無意味になっている。土地を耕す者もいなくなり、家畜の世話をする者もいない。そして、何百万もの人びとが、家ともいえない住宅に住んでいる。あるいは、二十年間もスラム街のような寮に暮らしている。（三七頁）

また、われわれはいつまで、そして何のために、新しい攻撃兵器を、まるでシャボン玉のように、次々につくらなければいけないのか。何のために、七つの海をいく海軍をもたねばならないのか。この地球を征服するためなのか。このためにも、年間何千億ルーブルの金が必要である。これまた、きっぱりとやめなければならない。（三九頁）

そして最後に、ソ連共産党の膨大な資産がある。この件については、すでに誰でも指摘していることである。この七十年のあいだ、国民の財産を着服し、それをほしいままに使ってきたのである。（四〇頁）

いったい何のために、土地にはものを実らせるという素晴らしい恵まれた性質が与えられているのか。この性質を活かすことのできない人間の集団は、滅びる運命にある。（略）土地への愛着が薄れることは、国民性にとって大きな危険をはらんでいる。（四三頁）

以上は、『甦れ、わがロシアよ』の中のほんの一部の提案であり、実際には、国家形態から経済や教育に至るまで、さまざまな提案がなされています。ただし、この提案はソビエト連邦崩壊前夜の異議申し立てであり、ロシアになってからの彼の意見はまた違っているのかも知れません。

実際にはソビエト連邦からロシアになり、プーチンが大統領になっても、資産家たちの経済は成長を遂げていて、ここで懸念されている民衆の貧しさや無力感が改善されているようには思えません。とくに、諸民族の独立の容認に関しては、それに反する動きが「ウクライナ戦争」になって現れているわけで、ソルジェニーツィンのかつて望んでいた「大地」を大事にする「ロシア」とは、逆の動きを見せているのがその後のロシアの動きでした。それでも彼はプーチンと会い（二〇〇〇年）、彼の葬儀（二〇〇八年）にもプーチンは出席しています（のちに、荒廃した九〇年代の祖国を目の当たりにして、彼はロシア正教を基盤にしたロシア、ウクライナ、ベラルーシ三カ国によるスラブ連合を提唱し、この考えが、スラブ三カ国を一体と見なすプーチン大統領と通底していると批判されているらしいのですが、私はそういう論文を読んだことがないので、現時点では『甦れ、わがロシアよ』の主張で彼のことを判断するしかありません）。

(8)「惨状」と「世界史」を「環」にする思考を

ところで、ソルジェニーツィンには『イワン・デニーソヴィッチの一日』とともに『収容所群島』があり、それでソビエト連邦がもつ「惨状」の次元を世界に暴露してきているので、その方の貢献の方がとても大事なのですが、これを書いている最中（二〇二二年五月二五日現在）に、中国のウイグル自治区が「収容所」になっている写真やデータが大量に流出したという報道がなされています。ソビエトやロシアは、「敵」と見なす人々を点在する「収容所」に連行するのですが、中国では、自治区丸ごとを「巨大な収容所」に仕立てているんですね。こんな恐ろしいことが、ロシア、中国、両国家の共通政策として実施されていることには怒りを覚えないわけにはゆかないのですが、実際の収容所の現場には、監視する者、拷問する者、逃げたものを射殺する者、さまざまな役割を、平然と実行する者たちがいて、そこには「収容所」にいるものは「敵」に過ぎないという、「戦場」の感覚が徹底してすり込まれているのがわかります。

二〇二二年に入り、コロナの感染状況が減ってきている最中に、中国の上海や北京で数人の感染者が出たということで、巨大な都市が丸ごと閉鎖されるような事態が起こりました。コロナ対策といえば聞こえはいいのですが、「感染者」は「危険思想者」（Amazon の組合結成者たちも）と同じで、たとえ数人がでても、それは一気に感染爆発するので、それを防ぐためには都市全体を「収容所」のように「隔離」する必要があると中国国家は考えるわけですね。ウイグル民族対策と、コロナ対策は、ほとんど同じ様な理不尽な発想で実行されているのがわかります。

こうして振り返ってみると、当たり前のように見える「惨状」が、「惨状」には見えない人たちも確かに存在するわけで、いったん世界を「戦場」と見なす政治体制が確立されると、そこには、必要以上に人々を「敵・味方」の峻別する思考でもって見る人々も出現し、そして人権の薄い「勝敗」のゲーム感覚で世界を見るようになり（これがまた優生思想を増幅させることにもなり）、マスコミも、視聴率を取るために、ゲーム感覚に熱中させるようにそういう勝敗の情報の操作をするようになり、その結果「勝者」としての「愛国者」を育てることにもなってゆきます。

結局そういう、世の中の動きに対して、私たちはどうすればいいのだろうかという事になります。今回もわたしたちの本の副題が〝「世界史的課題」に挑むための、私たちの小さな試み〟とされたのは、現実の「出来事」と、操作される「情報」との間の加工過程を、どのように意識すれば良いのかという課題でもありました。私には特効薬のようないい処方箋があるようには思われませんが、一つ分かることがあります。それは「惨状」「戦場」「戦況」に置かれる人々の意識はまるで違っているということと、そういう意識の違いは、「世界史」を動かす「大きな活力」(政治の理念や、財閥の理念)によって人工的に作り出されるものである、ということについてです。

なので、私のささやかな提案は、「惨状」「戦場」「戦況」のそれぞれの次元に留まるのではなく、それらの状況を左右させる「世界史」の次元の理解も踏まえて、それら四つの次元が「わ(環)」として捉えられる発想を育ててゆくことではないかと感じています。ソルジェニーツィンがいうように「大地に生きる」ということ、それは「生としての人間」を意識することですが、その次元と「火力」という「技術」を使い「大地」を作り変えてきた「世界史」の次元までも、大きな「わ(環)」として、つねに身近に意識できているような「感性」が育てられる必要があるのではないかという提案です。

(9)「火の七日間」と「青き衣を着て、金色の野に降り立つ者」

そういう四つの次元を、子どもでもわかるような「わ（環）」として意識させてくれてきたのは、「物語」であり「文学」なのですが、最後に一つ「ウクライナ」に関わる「物語」を紹介して、今回のお便りを終えたいと思います。

その「物語」は、誰でもが知っている、「火の七日間」で「世界」の文明が滅んだという設定ではじまるアニメ版『風の谷のナウシカ』です。この物語の最後は、ナウシカが、「青き衣を着て、金色の野に降り立つ者」という古い伝承の再来のように描かれているのですが、この上が青で下が黄の色分けは、ウクライナの国旗の色分けに似ています。『ウクライナを知るための六五章』（明石書店、二〇一八年）の中で、原田義也は、ナウシカの最後の青と黄色のシンボリカには先行作品があって、それは宮崎駿『シュナの旅』（徳間書店）だと指摘していました。この作品は、チベットのような荒れた山の谷に住む一族の王子が、ひとりの旅人の持っている小麦の種のようなもの知り、うんと西に行けば、この種を実らせる黄金の大地があると教わり、一族の悲願を背負ってその地に向けて旅をするという物語でした。でも、その「黄金の大地」がウクライナをイメージしていたであろうことは、こんどの「ウクライナ戦争」を調べるまでは、思いつきもしませんでした。ちなみに言いますと『ウクライナを知るための六五章』は、ウクライナの全体像を知るためにはとても優れている本だと思います。ところで、この本には触れられていないのですが、ちょっとマニアックなことをいいますと、『風の谷のナウシカ』に描かれる不思議な砂漠のような舞台は、実は「クリミア半島（ウクライナ南部）に実在する「腐った海（シュワージュ）と呼ばれる沼沢地帯をモデルにした砂漠であった」（叶精二『宮崎駿全書』フィルムアート、二〇〇六年、三九頁）と指摘されています。そういうことを踏まえると、シュナやナウシカの舞台が、ウクライナ地方に設定されていたというのは、偶然なのだろうかとふと思ったりしています。

『風の谷のナウシカ』などは、たかがアニメと思われそうですが、幼少年期を空襲と戦後の焼け跡の時代に生きた宮崎駿（一九四一年生まれ）の頭の中には、「惨状」と「戦場」と「戦況」と「世界史」を「わ（環）」にしてつなぐ物語をどうしても創らなくてはと思っていたのではないかと思われます。もしそんなふうに『風の谷のナウシカ』が生み出されていたのでしたら、その舞台が第三次世界大戦の引き金になるかもとされるウクライナとして、偶然のように選ばれたのは、作家の直感力のすごいところだと私は思います。

ところで、私は今回、佐藤さんとの今までの往復メールが、二冊目の本になるという幸運を得ています。特別に何か一貫したテーマにそってやり取りをしたというのではなく、そのつど起こる時事的な出来事の中で、個人的な関心に沿ったテーマを選んで、自由にやり取りをさせてもらってきたのですが、そういう営みが、どこかで大きな時代の流れに触れることにもなっていたのなら、何よりだと感じていました。そして今回、それがまとめられて校正をする最中において、ロシアによるウクライナ侵攻が始まり、町や村が無惨にも破壊しつくされる残虐非道な光景を毎日のようにニュースで見続けてきて、一体私たちは何を見ているのだろうと、何度も自己問答をしてきたものでした。

私と佐藤さんが共通して関心を持ってきたのが、「非情なる犯罪」についてでした。そして奇しくも、今回の「ウクライナ戦争」が巨大な「非道なる国家犯罪」として見えてきたときに、「個人の非情な犯罪」として見えるものと、「国家」による「非道の戦争犯罪」の間に、「世界史的」に考えないと見えてこないものがあるのではないかというところに気がついて、佐藤さんは副タイトルを考え出されたと思っています。

私は前回の本のあとがきを、「ウクライナ戦争」のはじまりを全く予期できない時点で、ただ「火」について書いていたのですが、校正の段階で、「火」から、まさに「火の七日間」のような惨劇を目にし、「戦車」や「ミサイル」などの「武器」について少しですが触れないわけにはいきませんでした。

今回改めて佐藤さんが意図された「世界史的な課題」について、これまたほんの少しなのですが、「非情になる心」の出所を、「個人の犯罪」から、アウシェビッツの絶滅収容所や広島長崎の原爆投下、そして「ウクライナ戦争」まで続く「国家の犯罪」につなぐ赤い糸としてたどってみました。考察は入口にも達しないかもしれませんが、考えなくてはと思ったことのいくつかは考えられたかと思いますので、いったんこれでお送りさせていただきます。

（二〇二二年五月二七日）

〔第二信〕佐藤幹夫

ロシア - ウクライナ戦争と、平和思想としての「海洋国家」論

(1) ワクチン接種と汚染されるメディア情報

梅雨が明けたとたん、「コロナ猛威を振るう、第七波到来」と、テレビは連日大騒ぎをしています。もはや壮大な茶番を見せられているような気がして、報道もまともに見ることはせず、予防ワクチンも二回打ったところで打ち止めにしています。世に言う「反ワクチン派」というわけではなく、医者のいう「重症化を防ぐ効果はあるからうった方がいい」というセリフは、「予防効果」はあまり期待できない、という文言がその前段に置かれますから、予防効果の期待できないワクチンをなぜうたなければいけないのか、という単純な理由です。

ところが、テレビの宣伝効果は絶大ですから、お盆帰省が近づくにつれて、私の周囲が少しば

かり様相を変えてきました。帰省することを伝えると、ワクチンを打ってから帰ってくるように、という家族や友人たちの決まり文句がジワジワと威圧感を増し、至上命令のごとく響きを帯びてきています。テレビのいうことなんぞ信用できないぞと言い張って、五〇年来の親友たちと仲違いをしたくはありません。妥協策をあれこれと練り始めているところです。

そして改めて思ったことが、為政者はテレビというメディアを、絶対に手離さないだろうなということでした。エンターテインメントとしてのポテンシャルがいくら低下したと言われても、権力の側が、国民感情のコントロールや世論形成のためには、まだまだ威力を発揮するメディアだからです。いま、テレビがメディアとしての自立度を弱体化させ、政権との依存関係やコントロールを強くしている以上、情報は汚染度を増すことになります。いや、テレビの存在意義は、もはやそこにしかないというべきかもしれません。それほど権力のメディア介入は進んでいます。

さて、今日も、田舎の友人からワクチンコールが入ってきました。短いコメントの書き方が、だんだんと「ワクチン接種せぬもの人間にあらず」のような趣を呈してきました。私も根っからの意地っ張り。言われれば言われるほど「たかがワクチン如き、何を踊らされているのか」と返したくなるのですが、この年齢になると、数が少なくなってきた友人は大事にしようなどと、人並みに殊勝なことを思ったりします。

太宰治は『桜桃』のなかで「子供より親が大事、と思いたい」といっています。それに倣って、「思想信条より友が大事、と思いたい」とでもいっておきましょうか。

(2) 情報総力戦争とはどんなものか

私たちはこの「ロシア―ウクライナ戦争」に何を見ているのか。村瀬さんは今回のメールでそのように問いかけ、「惨状」「戦場」「戦況」「世界史」という四つの観点からこの戦争を検討されました。それぞれが村瀬さんらしい洞察です。なかでも私が賛同し、なるほどと膝を打つ思いをしたのが、次のように書いてある件でした。

「世界史」としてみた場合、今回の「ウクライナ戦争」の「活力」は、領土を持たない（国家の枠を越えたグローバルな）「金融資本主義」と、領土なしには成り立たない国家資本主義の、そのそれぞれの「活力」の、長い時間をかけた勢力争いのようにと私には見える。（本書、一三頁）

「グローバル金融資本主義」と「国家資本主義」の勢力争い。なるほど。これならばすっきりと入ってくる。そう感じました。今度のウクライナ戦争では、通常は、「ロシアVS.西側社会」というフレームで語られます。村瀬さんの言い方は、それぞれの経済的特質をより明確にした名称に置き換えられているわけですが、これならば、メディア汚染の少ない記述のし方になっていると感じたのです。

というのは、村瀬さんも「情報操作」を危惧していたように、私も真っ先に情報の自立度の問題を疑いました。戦争は、情報操作を常態とします。むしろ「情報総力戦」と言ってもいい。ウクライナ戦争が始まって以来、日本の報道の多くが西側社会を「国際社会」と言い換え、「ロシアの横暴を国際社会は断固許さない。岸田総理は、国際社会の一員として、そのような強い意志を示していくことを……」といった使い方をしてきました。

よほど注意して聞いていないと、そのまま聞き過ごしてしまうのですが、ここには巧妙な、二重のトリックがあります。その大前提が、日本は西側社会の一員であること、つまりは国際社会の一員であるというメッセージです（あまりにくり返されるので、聞いているうちに恥ずかしくなってきたのですが、この言い方には、他のアジア諸国への優越意識がひそんでいませんか。なぜかことあるごとにそれが繰り返されるのです）。ともあれ、大前提に立ったトリックの一つが、「西側社会－国際社会－世界の多数派－世界の正義」という印象操作です。「国際社会の一員たる日本国は世界の多数派であり、正義である」。そういうメッセージの刷り込みです。

もう一つは、国際社会は民主主義と人権と法を尊重し、個人の自由を何よりも重んじる社会であるというメッセージもまた、ここには込められています。戦争の惨禍の映像が流されるたびに、ウクライナの国民の悲惨や悲嘆とともに、このようなメッセージもまた報じられ続けたわけです。プーチンとロシアにたいして、あっという間に巨悪の根源像がつくられたゆえんです。

そしてもう一つ、戦争が始まってすぐに、ウクライナのゼレンスキー大統領は盛んにメディア発信を続け、テレビのニュースはそれをくり返し放映しました。インターネットを通じて大統領が、他国の会議にまで乗り込んでなされる支援要請の演説。日本の報道は、基本的にほぼ「アメリカ発」のものだと考えてよいでしょうから、それを無批判に流すすべての報道は、プロパガンダとしての加工が施されている、あるいは演出がなされている。どうしてもそういう疑念を消すことができません。

私はほどなくしてテレビからは離れ、SNSに投稿されるニュースを追いかけたのですが、間もなく、フェイクの応酬が頻繁に上がってくるようになりました。たとえば、数多くの死者が横たわるこのウクライナによる映像は、こうして撮られた、というように、まずは死者の役になる人間がメイクしている映像が流れます。それから現場に行って横たわり、同じ場所の光景を同じアングルから映し出してみせ、その映像や写真がフェイクだとアピールをする。

しかしフェイクを主張する検証?・映像が、そもそもフェイク（のはず）です。あるいは二〇二二年のウクライナ戦争の一枚として報じられた報道写真が、じつは数年前のものであることを、「証拠」をあげて検証している記事が投稿されたりと、あたかも「クレタ人はみな嘘つきだ、とクレタ人は言った。この命題は真か偽か」問題のごとく観を呈していきました。こうやって、日々シャワーのように浴びせられる戦争報道を目にしながら、次第に私には、今回の戦争の大きな特質の一つは、これまでにないような情報戦の様相を呈していることだ、と考えるようになりました。報道全体が西側かロシアか、どちらかのプロパガンダである。そうした疑いから逃れられなくなったのです。

しかし、戦時の報道は多かれ少なかれ、敵味方を問わずプロパガンダとなる。報道の中立性とか、客観報道などというものはあり得ない、程度の差があるだけだ。情報戦争の渦中にあっては、敵の死者（遺体）も味方の死者（遺体）も、眼を覆うばかりの被害や悲惨も、ありとあらゆるものが、戦争遂行のために徹底利用されていく。敵意や憎悪を燃え滾《たぎ》らせるために、情報は巧妙に加工され、すべての言葉と映像が一つの意図のもとに編集されるわけです。湾岸戦争やアフガン戦争の報道ときには、テレビゲームのような画像を散々見せつけられましたが、しかし今回のウクライナ戦争では、情報総力戦という印象を、ひときわ感じるのです。

ニュース映像はもとより、どんなノンフィクション作品にしても、そこには書き手・作り手の意図があり、取捨選択があり、編集がある。もともと持つニュース映像やノンフィクションのそのような本質的な特性が、戦争報道になったとき、容赦なく剥き出しになる。悲嘆も悲惨も残酷も、すべてが戦争遂行のために利用されていく。ヴェトナム戦争のときに戦場カメラマンたちが残した、「名作」とされた写真の数々がありますが、凄まじい悲嘆や悲惨や残酷さを映し出したものであったことからも、それは明らかでしょう。日本のメディアの戦争報道は、その点についていささか無防備ではないか。

こうした私のモヤモヤを、村瀬さんの先の引用が払拭してくれたわけですが、何がその理由となったのかと言えば、とてもシンプルなことです。この指摘のし方のほうが、はるかにメディア汚染が少ないのです。言い換えれば、戦争の多くがいかに「経済」と連動したところで引き起こされるか。「グローバルな金融資本主義」と「国家資本主義」の勢力争いという言い方は、戦争の本質のど真ん中を射抜いているように感じたことでした。ちなみに「経済との連動」とは、金融や資本のみならず、食料、資源、エネルギー、情報をめぐる主導権争いの全体というほどの意味です。

そのことを、先の村瀬さんの引用は思い起こさせてくれたのでした。

(3) 地政学的に見たウクライナ

ここからは、村瀬さんが書いておられたこととは、少し別の観点から述べてみたいと思います。私は、二年以上にわたって続いてきたコロナ禍のあいだ、「夜の街」には一歩も出ることもなく、本読みと原稿書きに精を出してきました（信じてはいただけないかもしれませんが、ほんとうなんです）。この間の数少ない楽しみの一つが、インターネットで無料映画を観ることでした。初めは何の脈絡もなく作品を追っていたのですが、間もなく、韓国映画の驚くべき質の高さと面白さに出会いました。正確なところは分からないのですが、おそらく視聴した数は、優に百本を超えているはずです。

ここで映画の話をしたいのではありません（とはいえ、少しだけ述べるなら、社会派ドラマとしての、権力にたいする圧の高さが、日本映画とは比べ物にならないのです。日本映画は確かに繊細で、丁寧に作りこまれているのですが、どうしても社会批判としての弱さ、線の細さを感じてしまいます。これは韓国が朝鮮戦争を通過し、凄まじい自民族同士の殺し合いがあり、いまもって一つの民族が分断の緊張の中に置かれているという戦後史。さらには韓国内部の超上級層の桁違いの腐敗。腐敗のネットワークが国民をがんじがらめにしている。このことへの抵抗の意思が強烈さ。これが過半の映画にみなぎっているのです）。

韓国映画に入れ込むことによって、半島の戦後史に関心が向きました。そのことで半島から見た東アジア、日本と半島との関係、という地理的視点が、私の中に生まれたのです。

さらには台湾があり、琉球・沖縄があり、日本列島がある。その周りを、アメリカ、中国、ロシアという覇権を争う超大国が、ぐるりと取り囲んでいる。いまのところは微妙なパワーバランスが働いていて、その均衡を保つために、表や裏では様々な努力が（これは脅しやら、駆け引きやら、懐柔策やらを含めたものですが）、日々なされている。

先ほど戦争の報道にはトリックが二つあると言って、一つしか示さないままで来たのですが、二つ目のトリックはここに関連します。つまり、「国際社会」とは、暗示的に報道されているような、ルールが遵守され、法と人権が尊重されるような社会ではなく、一皮むけば、いつでも国益というエゴと強権がむき出しにされた無法地帯となりうるような、そんな社会です。共同歩調をとっているはずの日米韓にあってさえ、食料、資源、エネルギー、情報、その他をめぐる主導権争いが演じられ、ちょっとしたきっかけで双方のエゴがむき出しになりかねない、中国と北朝鮮ならばひときわそうです。それが国際社会の実情というものなのではないでしょうか。

ウクライナの戦争報道では、そうした無法地帯的現状が解毒され、信頼と連帯と尊厳の溢れる「国際社会」が演出されている。一方のロシアと中国をはじめとするロシアにつく側は、人権思想の未熟な国であるという無言のメッセージが刷り込まれている、これがトリックの二つ目です。かなり巧妙なプロパガンダ報道だと感じた次第です。

話を戻しましょう。韓国映画を見ることによってもたらされた、東アジアのもつ地理的条件についてです。外交、安全保障、経済、戦争を考えるとき、この地理的な条件や環境を抜きには考えられないということに、ここで初めて考えが至ったのです。そして「地政学」という学問にたいして遅まきながら関心が向き、東アジアを地政学的にとらえればどんなことが見えてくるか、などと考え始めたのです。

地政学。つまりはいかに戦争に勝利するか、そのことを地理的な条件を最大限勘案しながら考察する学問ですね。そして大まかな傾向を抽出していく。黒野耐氏の『「戦争学」概論』（講談社現代新書、二〇〇五年）では、次のように書かれていました（この著者は、自衛隊防衛省関係の元軍人であり、明らかに「西側」からの視点で安全保障が考察されています）。

地政学は、地球という舞台の上で同時進行する国際関係について、地理的概念を基礎としてその全体の動向をつかみ、そこから現在と将来にわたる国家戦略など大戦略に必要な判断の材料を引き出そうとする学問である。したがって、地政学は現実の国際関係に即効的に影響する。

（二三一二四頁）

つまりは地理上の特質を考慮し、そこからさまざまな政治戦略を構想していく、そういう学問だと言われています。黒野氏はまず、地政学という学問を確立した英国のハルフォード・マッキンダーの理論を紹介します。人類の歴史はランドパワー（陸上勢力）とシーパワー（海上勢力）による戦いの歴史であり（これはインタビューで、笠井潔さんが「海上国家と陸上国家」という話題として展開しておられたことに符合します。瀬尾育生さんも論及しています）、これからはランドパワーの時代となる。西洋の歴史はユーラシア内陸からの圧力によって形作られてきたのであり、まずは東からの騎馬民族に圧倒されていたランドパワーの時代があり、次に西欧諸国が大航海に乗り出し、東洋を押し返したシーパワーの時代があった。これからは陸上交通が主役になり、ランドパワーが優位を占めていく。マッキンダーはそう説いたと書かれています。

ランドパワーとシーパワーの闘争という歴史観。世界史を見れば、この両者が「交じり合う地域で大きな戦争や紛争が発生している」。マッキンダーはヨーロッパをユーラシアの西にある半島と捉えている。内陸からの圧力を防ぐもっとも重要な場所は、北欧の「バルト海と黒海にはさまれたヨーロッパ半島の根本となる東欧から東側の地域である。ランドパワーによる大陸からの侵攻は、つねにこのルートを通っておこなわれた。したがってマッキンダーは、東欧とその東側の地域こそがヨーロッパ全域、ひいては「世界島」の安全にとって死活を左右する重要な空間であると指摘したのだ」。

この死活を左右する重要な空間は「中軸地帯」と名付けられ、やがて「ハートランド」と改称されます。第一世界大戦も、欧州における第二次世界大戦も基本的にはユーラシア大陸の、この心臓部の制覇をめぐって行われています。その典型が独ソ戦であり、独ソ戦の雌雄が第二次大戦の勝敗を決したと言われるほどです。

すでにお気づきと思いますが、ウクライナは、このハートランドと呼ばれる地域に属しています。したがって、プーチンがウクライナになぜあれほど執着するのか、かつてのソ連の再来を祈念しているとか、彼の領土的な野心だともいわれますが、ウクライナという地域がロシア・プーチンにとって、地政学的に最重要地域だと認識されているからこそにほかなりません。まだバイデン米大統領がなぜあれほどムキになって、ウクライナへの資金や武器の援助を申し立てて戦争の続行を訴えるのかも、同様に理解されます。

また、ウクライナは独特の歴史を持っているのですが、それがどうしてなのかもいくらか分かりました。以下は、黒川祐次氏の『ウクライナの歴史』(中公新書)を参照しながら書いていきますが、これほどの要衝の地でありながら、なぜウクライナが独立国としての歩みを阻まれてきたのか、その理由が理解できました。

九世紀末に成立したキエフ・ルーシ公国が、一三世紀にはモンゴルによって公国が崩壊し、以後、ポーランドやリトアニアに支配され、ロシアに組み込まれ、と複雑な有為転変が続きます。スターリン政権下では過酷な穀物調達が強制的に続けられ、ウクライナ全土で数百万の人々が餓死するという事態を招きました。この歴史事実が、現在に至ってもロシアへの憎悪の底流となっているといわれます。やっと九一年になって、ソ連の崩壊とともに独立宣言を果たす。要衝の地だったからこその歴史です。

(4) 沖縄と「海洋国家日本」

村瀬さん、話が逸れますが、ウクライナの歴史や地政学的な位置は、沖縄のそれを思い起こさせました。沖縄もまた、中国、日本、アメリカという大国の思惑によって、翻弄され続けてきた歴史を持っています。

「ソテツ地獄」といわれ、経済不況がいくら深刻化しようとも租税の徴収が過酷に続けられ、飢餓状況を生み出していた点も似ています。米軍によってキー・ストーン（要石）と呼ばれたように、沖縄も貿易・経済と軍事にとって要衝の地であり、だからこそ沖縄を押さえておくことが、近隣の大国にとっては重要だった。ウクライナの戦争報道で「緩衝地帯」という言葉が何度か聞かれましたが、実質的には沖縄はまさに、日本（アメリカ）と中国にとっての緩衝地帯になっています。

しかしまた次のようにも言うことができるでしょう。東アジアという地域全体に目を転じた時、朝鮮半島、日本、沖縄、台湾という狭義の東アジアも、アメリカ、中国、ロシアにとっての緩衝地帯です。中国、ロシア、アメリカが、直接国境を接しないための緩衝の役割を持たされている国家です。

北方領土に対するロシアの強い領土的執着も、おそらくはこの点に関わるはずです。そして東アジアとは、シーパワーとランドパワーが交じり合う地域でもあります。大国の意思が東アジアに集中し、その地域が思惑のぶつかり合うところとなる。東アジアには、北朝鮮という不安定そのもののような国家が存在するから戦争の不安要因が大きいというよりも、すでにこの地域そのものの地政学的条件が不安要因をすでにはらんでいる、そう考えたほうがいいのだと、シロウトながら思いました。

ロシアのウクライナ侵攻をきっかけに、戦争はなぜ起きるのかという問いが私のなかに改めて浮上し、最初は、「プーチン諸悪の根源説」に立っていたのですが、テレビ情報を遮断してみると、徐々に変わっていきました。ロシアとウクライナの歴史的関係、独ソ戦とナチスの問題やウクライナのもつ軍事的重要性（ハートランド）など、世界史的な様々な事情が複雑に絡み合っていることが見えてきたのでした。

(5)「海洋国家日本」はなぜ忘れられたのか

さらに逸れますが、地政学的に見た東アジアという視点にたったとき、言い換えれば「戦争はなぜ起きるのか」という問いに立ったとき、もう一つ、こんなことも考えました。戦後史教育からはほとんど削除され、戦後生まれの私たちはもはや意識することもなくなっていますが、日本は、まぎれもない「海洋国家」だということです。海運業の従事者や、軍事・安全保障の専門家にとっては常識以前でしょうが、「海洋国家日本」というアイデンティティは、戦後の日本人からはなぜか抹消されてきました。

推測を一つ挟み込むならば、本土の人間が、沖縄の重要性を長いこと認識できないまま看過してきたのは、この事実が関連していないでしょうか。民主主義と平和憲法を戦後日本の最大のアイデンティティとして偽装するためには、沖縄の存在を視えないものとしておく必要があったという事情もさることながら、「海洋国家日本」というアイデンティティをもっているならば、沖縄の存在はまったく違って受け止められていたはずです。日本列島と琉球弧、東南アジアや南洋の島々を結ぶ交易ラインの、まさに中継地点（キーストーン）。そして琉球／沖縄は、小さいながらもまさに海洋国家です。

かつて著書を謹呈していただく程度には交流があった、櫻田淳という政治学者がいます。保守系という冠詞は彼の好むところではないかもしれませんが、彼に『国家への意志』（中公叢書、二〇〇〇年）というタイトルを持つ著作があります。第二部が「「海」という名のチェス・ボード」と題され（チェス・ボードとは、チェス盤のこと）、「海洋国家」としての日本はどんな方向に進んで行くことが望ましいのかという主題が展開されています。

「第三章　新「海洋」戦略へ――「海洋国家の選択（二）」」で、櫻田氏は、沖縄の価値は「開放性」と「進取性」である、「我が国の対沖縄政策が決して成功してきたといえないのは」、この沖縄の価値を十分に生かし切ってこなかったからだといい、次のように続けます。

事実、沖縄は、琉球王国時代からアジア諸国との経済、文化の交流拠点に位置していた。琉球王国では、朝鮮や中国沿海部との交流の結果、二千トン級の大型船舶が建造され、沖縄の人々は、特に十四世紀末以降、そのような当時としては世界最先端水準の船舶に乗って、東南アジア地域に交易圏を拡大した。そして、近代以降もまた、沖縄の人々は、海洋を超えて世界に雄飛していった。

そしてこの「開放性」と「進取性」こそが、今後の日本にとって検討すべき課題ではないか、と続けていきます。もちろん海洋国家的特徴は沖縄にとっては自明のことであり、県庁のホームページにも、「変化する国内外の諸情勢や新たな時代潮流の中にあって、我が国の南の玄関口に位置する地理的特性や南西端の広大な海域を確保する海洋島しょ性、アジア諸国との交易・交流の中で培ってきた歴史的・文化的特性など、本県が有する地域特性は、より一層の重要性を増していいます」と、しっかりと記述されています。そして日本という国全体が、沖縄に劣らないはずの「海洋国家」のはずなのに（明治はまさにそんな時代でした）、そのことをだれも口にしなくなっている。これはどういうことなんだろうと、例によって私の推理癖が首をもたげてきたのです。

『国家への意志』は二〇年前に書かれた著書であり、国際環境が大きく変わり、今度のウクライナ戦争によってさらに激変した今、この著書をどこまで羅針盤として用いることができるか、いささか不安が無きにしも非ずです。しかし、海洋国家としての自覚を持つことの重要性という基本認識に変化はないはずです。「開放性」と「進取性」を重んじる気風が、社会制度の中でどこまで機能しているのか、そう問いかけた後、櫻田氏は次のように続けます。

その意味では、どのように、沖縄から「台湾」を経て「南洋」へと続く「海上の道」の意義を我が国の今後の国際戦略の中で位置付けるかということは、来世紀の我が国の道程を展望する上では最も重要な課題になるであろう。

著者はこの「海上の道」を「生命線」という言葉に置き換えて、沖縄、台湾、南洋諸島の国々という道を大事にするという姿勢を明確にすることこそが、国際社会における責任の一環なのだと結んでいきます。私なりにいいかえれば、南洋諸国とのかかわりを深めること、パートナーとして尊重しあうことのできる信頼関係を築き上げていく努力を怠らない、ということと含意しています。私はこの件を読んでハタと思い当たったのですが、このことこそが、じつは大きなネックとなってきたのではないか。

戦争責任や戦後補償の問題が取り沙汰されるとき、そのほとんどは、中国や韓国と関係の中で、様々な政治的思惑を含むものとして浮上してきました。そして決まって、「日本は、自らが犯した侵略戦争の歴史に向き合っていない」という批判の文脈の中におかれます。この問題を軽視するつもりは全くありません。

あくまでもここでの文脈に即していえば、「戦後の課題としての南洋諸国」というもう一つの重要な課題がじつは存在しているのであり、相手側が何も言わない（経済的援助を受けているために、言えない）ことをいいことに、正面から向き合うことを避けてきた、そのような歴史的事実などなかったことにしてきた、それが「海洋国家日本」というアイデンティティを消し去ってきた歴史の無意識だったのではないか。

第二次世界大戦時にあって、南の島々にあって日本軍兵士たちが、飢餓、疫病による死など、どんな状況を生きなくてはならなかったか、その多くが語られないまま鬼籍に入っていった。「語られなかった」という事実の持つ意味やその重大さに、うすうす私たち戦後の人間は気付いている。問いただすことはためらわれる。想像以上の凄まじい地獄そのものである現実に向き合っていたことを、引っ張り出してしまうかもしれない。戦争の軍人死者たちを冒涜することにつながるかもしれない、そうした強いためらいもあったはずです。

やや古い記事ですが、「戦後のサンフランシスコ講和会議（1951年9月）や各子の政府発表などによると、第二次世界大戦におけるアジア・太平洋地域の軍民の犠牲者数は▽日本310万人▽フィリピン100万人▽ベトナム200万人▽中国1000万人以上――などとされる」（毎日新聞WEB版、二〇一五年八月一五日）とあるように、膨大な数の死者が、南洋の諸国には眠っている。

かつて加藤典洋さんは『敗戦後論』（一九九七年）のなかで、「そもそも、名前をもたない三百万の自国の死者に対置されるさらに名前をもたない二千万のアジアの死者とは、何か。／そこでは激しく何かが転倒している。／しかし、そのことを了解した上で、わたしは、先に述べた三百万の自国の死者への哀悼をつうじて二千万の死者への謝罪へといたる道が編み出されなければ、わたしたちにこの「ねじれ」から回復する方途はない、と考える」と書き、左派リベラルから大きな反発を受けました。アジア二千万の死者を前に、まずは深く恥じ入れ、というわけです。この問題に、どうしてもいまだにぶつかってしまうようなのです。

「海洋国家日本」というアイデンティティを回復するためには、南洋諸国の人々との間で信頼関係を築き上げなくてはならないのですが、それは同時に、それらの国々での戦争の死者とどう向き合うか、そのような問題でもある。そしてそのことに、敗戦から今に至るまで失敗し続けてきた。その深い「傷」をいまだ払しょくできずにいる。アジアの諸国に大金をばらまき、「経済大国」としての優位を誇って見せることくらいしかできないのは、この「傷」の裏返しの心理でしょう。沖縄に対して戦後の日本政府がやってきたことも、基本的には同じです。自分たちの優位をことさら誇示することによってしか、「傷」に向き合う術を持つことができなかった。

(6)　新たな平和思想としての「海洋国家論」

私は櫻田氏がこの著書の中で述べていることの、すべてに賛成ではありません。むしろ異論を感じる箇所も少なくない。しかし「海洋国家日本」というアイデンティティの回復という提言は、今もって、いやこのように台湾をはさんでアメリカと中国の関係が一触即発状態になっている今だからこそ、ますます重要になっているのではないかと感じるのです。日本はひたすらアメリカに追随し、その先兵となるような役割を「国際社会」において進んで買って出るよりも、東アジアと南洋の島嶼国においてどのような主体的な役割を担うことができるのか、今から準備を進めておくことの方がはるかに重要ではないか。繰り返しますが、こんな時期だからこそ、です。

地政学をほんのわずかに齧《かじ》り、東アジアの地理的条件に目が向き、ウクライナと同様の地政学的な条件を持っているのではないかと考え、さらにそこから「海洋国家日本」という着眼を得ることになったというのが、ここまでたどってきた道筋です。そして以上のことを考えた次第です。「海洋国家日本」というアイデアに惹かれた理由はもう一つあり、それは、櫻田氏が、次のように書いていることです。マッキンダー以来の地政学の図式を用いるならば、「我が国の「国柄」とは、明らかに海洋国家としてのものである。我が国は、欧州中世に隆盛を誇ったヴェネツィアや近代以降のイギリスと似通った「国柄」を持つ国であり、このことを起点にして「選択の幅」を広げていかなければならない」と書いた後、次のように指摘します。

ただし、われわれが確認すべきことは、ヴェネツィアにせよイギリスにせよ、国家としての存立が、きわめて脆弱な基盤の上に成り立っていたということである。海洋国家は、資源、食糧その他の国家の存立に必要な諸々の条件を海外に依存する以上、他国との関係を切り回す有様の如何が、何にも増して大事なものになる。つまり、自らの抱える「脆弱性」に曇りなき眼差しを向け続けるとともに、その「脆弱性」を克服しようという努力を怠らないのが、海洋国家の流儀なのである。

ここで言われていることを私なりに受け取りなおすならば、日本という国が地政学的にも産業的にも、そしてメンタリティにおいても、どのような特質をもっているか、自己への理解を正しくもつことがひときわ重要である。「脆弱性」という国としての特質に向き合い、その上で、他国との関係を切り回す手腕、つまりは高い外交の手腕を持つような努力を怠らないことが肝要である。

ここから少しばかりロジックが飛躍しますが、「脆弱性」を克服しようとする外交努力とは、戦争という武力による解決を回避しようとする努力であり、平和を維持するための努力である。そのようなことが述べられていることになります。

さらに言い換えることになりますが、ここで櫻田氏が述べていることは、氏流のリアルな事実認識に立った平和論だと受け止められないでしょうか。そしてそれは、常に起こりうる戦争の可能性を前提とし、どうすればその可能性を減らしていくことができるかという、政治学者ならではの冷静な事実認識に立った平和論ではないか。私にはそう受け取りなおしてみたいのです。

述べてきたように、列島から南洋諸国に延びる「海上の道」を新たに構築しなおすことは、かの国々との関係の再構築を目指すことであり、それは自らが犯した戦争と、自らの脆弱性を克服しようとする努力である、そしてそのことはいかにして戦争を回避するかという問いかけも含むものとなる。言ってみれば「平和思想としての海洋国家論」を構築していく努力です。

この着眼を手にしたことで、私の妄想はさらに膨らみました。たとえば「ひめゆり平和記念資料館」を拠点とし、「海上の道」に位置する島嶼国が連携しながらアジア太平洋戦争の研究・資料センターという形を整え、そこで各国の代表が集まって議論の場とする。戦争の遺跡はどう保存し維持されることが望ましいのか。戦争の記憶をどう伝えていくか。それぞれの国にとって戦争とは何だったのか。あるいは現在、大国の安全保障政策の中で、各国がどのような課題と向き合っているかを共有する。場合によっては世界へのアピールとする。こうしたもろもろの論議を沖縄がイニシアティブをとって進めていく。

もちろん、簡単にいくとは考えていませんが、実現すれば、「「海上の道」島嶼国ネットワーク（仮称）」の存在それ自体が、平和への強いアピールとなるのではないか。そんな夢想も沸いたのでした。

ウクライナ戦争の話題から、ずいぶんと遠いところに来てしまいました。しかし、戦争はなぜ引き起こされるのか。それを防ぐためには何が必要なのか。そんな問いを強く喚起されたことが、地政学への関心となり、海洋国家としての日本という着眼となり、櫻田さんの指摘にたどり着いた、そういう筋道でした。
これが村瀬さんにお伝えしたかった二つ目の話題です。

(7) 戦争と、「何もできない存在」と非暴力の抵抗思想

三つ目は、いくらか話の方向が変わります。黒野耐氏の『「戦争学」概論』を読みながら、地政学とは、「戦争とは何か」「戦争に敗北をしないためにはどのような考え方や準備をしておく必要があるか」「いかに早く戦争を終わらせるか」について、徹底してリアリズムの立場に立って考え抜かれている学問だと痛感しました。

もちろん、望もうと望むまいと戦争は引き起こされます。世界史とは戦争の歴史です。その事実に蓋をすることはできません。黒野氏は、むしろ直視しないまま重要な問題を先延ばしにし続けることは、戦争が引き起こされる重要な要因となり、事態をかえって悪化させる、しっかりと現実を直視し、平時から備えておくことが大事である、と繰り返し指摘します。

私は先ほど、脆弱性の克服の努力という櫻田氏の指摘を、平和論に通じるものではないかと書きました。平和はどう維持されるのか。黒野氏にあっては次のように書かれます。

以上のような攻撃〔①中国や北朝鮮による弾道ミサイルによる恫喝、その威嚇攻撃。②特殊部隊によるゲリラ攻撃。③南西諸島や対馬などに対する海空軍を主体とした攻撃〕を抑止することが日本

の安全保障上、最も重要なことであり、そのためには日米共同作戦体制を完成し、毅然とした政治・外交姿勢によって堂々と日本と東アジア諸国の利益を主張し、圧力と交渉によって戦争になる前に解決しなくてはならない。

軍事と安全保障の専門家ですから、その立場からの極めて当然の「戦争と平和論」が述べられています。繰り返しますが、ここでは、「戦争は避けがたく起こるものである」というリアリズムが徹底して貫かれます。地政学とはそのような学問です。

ところで村瀬さん、今号での笠井潔さんへのインタビューで、引き続き私は「非暴力」の問題について尋ねました。前回の『飢餓陣営』（五二号、二〇〇〇年）でのインタビューに引き続いて二回目です。笠井さんは、またかと感じたでしょうが、それでも丁寧に答えてくれました。「暴力／非暴力論」については、私の知る限り、最上の答えだろうと思います。私は一方で、笠井さんの答えに説得され、納得しながらも、もう一方で、自分の中に〝こだわり〟が残っているのを感じていました。インタビューの際、あるいはその原稿をまとめる作業の際には、それが何であり、どこに由来するものか、私自身もよく分からないままでした。

そして黒野氏による地政学をシロウトなりに齧り、世界史がいかに戦争の歴史であるかを痛感するうちに、やっと言葉になり始めました。何に私はこだわっていたのか。なぜ「非暴力」という言葉にこだわってきたか。戦争が勃発してしまうと、そこで私たちにできることは、国を守るために武器を持って戦うか、自分で自分の身を守るか、逃げるか、この三つの中のどれかを選ぶことになります。この三つしか選択肢はありません。繰り返しますが、地政学は、いかに準備し、いかに戦うか、徹底してその点について考え抜かれている学問です。

しかし、武器を持って戦うことも、自分で自分の身を守ることも、逃げることもできない人々は、間違いなく存在します。村瀬さんと私がずっとこだわってきた「障害」という問題です。戦争が始まったとき、戦うことも、守ることも、逃げることもできないということは、たちどころに殺されることを意味します。死を意味します。どれもできない人にとっての戦争とは何か。ただただ殺されるものでしかないのか。戦争が起こるたびに、彼らにはただ「死」という選択肢しかないという自らの宿命を受け入れていくしかないのか。

しかし、なにもできないということは、その存在そのものがすでに非暴力であるということです。彼らにとっては、何もできないこと、存在そのものが非暴力であることが、ただひとつの〝武器〟です。それ以外には何もありません。つまり彼らが戦うためには、この〝武器〟をもって戦うしかない。〝戦わない（戦えない）〟ことで、戦ってみせるしかないわけです。ずいぶんとおかしなことを言いはじめていますが、笠井さんのガンジー論に倣って言うならば、自分たちの非暴力性を敵に突き付け、敵の暴力性を徹底して暴き出す。現実的に死に至る蓋然性が高いわけですが、しかしそれ以外の戦い方はない。繰り返しますが、「それ以外の戦い方はない」ということを〝武器〟にする以外にないわけです。

なぜ「非暴力」の思想にこだわってきたのか。この間、非暴力存在にとっての戦争とは何か、このことをどう考えればいいのか、どうもどれが、私のこだわりの根っこにあるものの正体だったようなのです。

しかしこの後をどう進めるべきか、いまのところ、私は言葉を持っていません。「戦争は女の顔をしていない」というフレーズは、あっという間に平和というものについての、シンボリックで強烈な表現になりました。しかし「戦争は障害者の顔をしていない」といったとしても、おそらく、当たり前だろうと一蹴されて簡単に終わるか、障害者も戦争に参加しろとでもいうのか、何を悪い冗談を、と半分叱られて終わりだろうと思います。果たしてこの問いに先があるのかどうか。

村瀬さんは、佐藤はまた何をおかしなことを言っているのだ？　と困惑されているかもしれません。こんなこともまた、今回のロシア—ウクライナ戦争をきっかけとして考えることになったのでした。（本来ならば笠井さんへのインタビューの際に発言しておくべきことですが、機会を失したまま過ぎてしまい、村瀬さんへの返信の最後に加えさせてもらいました）。

安倍総理の銃撃事件には触れることができませんでした。このことをきっかけとして、自民党議員と旧統一教会とのすさまじい癒着が、一日ごとに明らかになっています。それについての弁明を弄する議員たちの卑怯さや愚劣さは、もはやただごとではありません。書いておきたいことはいくつかあったのですが、すでに時間切れです。

猛暑、酷暑というのもバカバカしい暑さが続きます。どうぞご自愛ください。

（二〇二二年八月三日）

追伸――アメリカのナンシー・ペロシ下院議長が八月二日夜、台湾を訪れ、三日には蔡英文総統と会談。台湾との連帯を表明した、と報じられました。かねてより中止するよう強く求めていた中国は、報復措置として、八月四日、台湾周辺で大規模な軍事演習を開始。弾道ミサイル五発が、日本の排他的経済水域内に落下、その一発が、波照間島の近海に落ちたとも伝えられました。台湾をぐるりと取り囲むような演習方法など、アメリカの挑発によって威嚇の度合いがエスカレートし、一気に事態は緊迫しています。こうした中、「平和思想としての「海洋国家論」」など、いかにも〝平和ボケ〟した印象を与えるかもしれません。沖縄の人たちも、自分たちが生きるか死ぬかの瀬戸際の中に置かれているときに、本土の人間は気楽でいいもんだ、と半ば呆れ、半ば腹立ちを覚えるかもしれません。

村瀬さん、またしても私の家族事情をお伝えすることになりますが、娘夫婦とその子どもたち二人が、沖縄の那覇で暮らしています。孫の誕生を得てこの方、「目に入れても痛くない」なんて、昔の人は何とぴったりの言葉を考えてくれたものかと感心しながら、二人の成長をここまで見守ってきました。

改めて言うまでもありませんが、台湾有事は、一気に沖縄有事です。無傷で済むわけがありません。沖縄のアメリカ軍は、自分たちの軍事基地と自国民を守ろうとはするでしょうが、沖縄県民は守りません。台湾有事は、沖縄がミサイルの攻撃対象となることに他ならず、家族の生死に直結します。私の心配や恐怖心がどれほどのものか、時々娘に向かって、子どもを連れてさっさと千葉に帰って来い、と言いたくなる衝動に襲われます。

彼らのことですから、沖縄の仲間たちを捨てて自分たちだけが逃げることはできない、おそらくはそんな答えを返してよこすでしょう。子どももまた、自分で自分を守れず、一人では逃げることもできず、武器を持って戦うこともかないません。すべてを親の一存にゆだねるしかない、そうした存在です。

沖縄をめぐる緊迫した状況、私の中の激しい葛藤と恐怖。このようなときに沖縄について書くならば、どんなことを主題とするべきか。そのような自問を経て、「海洋国家論」という着眼をえらんだ次第です。沖縄有事の危機を煽り立てるような言論は、いま急ピッチで進められている先島諸島の軍事基地化を推進する風潮に加担しかねない。事態がここまで緊迫化した今となっては、いっそうそのことに直結する。それは何としてでも避けたい。

自身の書いた論考の裏事情をこのように明かしてしまうことは、プロの書き手としては失格なのかもしれませんが、台湾・沖縄をめぐる状況がここまで深刻化していることを鑑み、あえて蛇足めいたことを加えさせていただきました。

（二〇二二年八月六日）

Ⅱ　記録、世界史、ナラティブ、フェイクニュース

〔第三信〕村瀬　学

世界史から「兵士」になることを考える

(1)　二〇二二年の出来事――「兵士」として現れる

二〇二二年は、二月末のロシアによるウクライナ侵略戦争からはじまり、七月の安倍元総理銃撃事件、その原因になったとされる旧統一教会高額献金問題と、「怒り」を覚える出来事が連続して起こり、そしてその出来事は今も進行形で続いています。この年の終わりに佐藤幹夫著『津久井やまゆり園「優生テロ」事件、その深層とその後』が出版され、その中で、「津久井やまゆり園事件」を考えることと、今年起こっていた出来事を考えることとの間に、何かしら通じるものがあるのではという「問題」を提起されていました。その「通じるもの」を「戦争と福祉と優生思想」という言葉に要約して示されていました。そしてもう一つ大事な問いかけも出されていました。「植松聖」が「私たちの生きているこの社会」からどうして現れてきたのか、と。

そうした佐藤さんの問いかけに交応するためにも、今回、『津久井やまゆり園「優生テロ」事件、その深層とその後』を読む前に、佐藤さん宛に書こうと思っていたことを先に書いてみたいと思います。それは前にも少し触れましたが「兵士」とは何かというテーマ、あるいは「兵士」が現れるというテーマについてです。

かつて「戦後七〇年」という言い方がされ、戦争から遠く離れる時代になったことがいわれました。「戦争体験」や「戦争文学」の読まれた時代は終わり、「戦争を知らない子どもたち」（一九七〇年）というような歌が流行り、高度成長や繁栄の時代をうけ、消費時代に入ったとか、「一億総中流」という言葉が流行ったりもしました。ところが、「消費時代」の実体は中国産の安い商品（それは中国の資本家が、中国の下層階級を植民地化して創り出した商品に過ぎなかった）を買うような繁栄にすぎなかったのに、七〇年、八〇年、九〇年くらいで日本は「消費の味」を知ってしまいました。

しかしこの三〇年位の間に、日本人が受けた「消費の味」は、「生産の恩恵」を忘れさせるに十分な期間だったように思います。とくにひどくなったのは「消費」が「安い商品の消費」にとどまらずに、人々を「消費物」のように見る風潮を生んでいったところです。

小泉純一郎元総理による郵政民営化（一九九〇年代末）にはじまり、労働者派遣法を改正し、派遣社員の派遣期間を三年から無制限に延長したその結果、「派遣」と呼ばれる人たちが、まさに

「消耗品」として「消費物」のように扱われる時代が到来してしまいました。その結果、そういう人たちは丸ごとの「人」としてより、「能力」「体力」の切り売りとして見なされ、「有用であるかどうか」「役に立つ能力を持っているか」で判断される時代が始まりました。

「消費の時代」というのは、そういう意味で「商品の消費」だけでなく「人の消費」を当たり前とする社会風潮を生んでいったと考えることができます。

そんな中で「福祉」の事業も、北欧や欧米の優れた考え方や運営の仕方を取り入れて展開され始めたのですが、「消費の三〇年」の土壌で生まれた人たちが、「福祉」の施設や現場に「就職」すると、入居者を「消費の商品」であるかのように見てしまう時代の流れに抗することができず、施設や職員にとって「有用」と感じられない入所者に対して、暴言や暴力や虐待をするニュースがあとを絶たずに報道されることにもなってきました。

(2) 政界と教会

「旧統一教会」で大きな問題にされたのは、何億円もの法外な献金問題をすることで、家庭崩壊を招く家族があったということでした。安倍元総理を狙撃した山上徹也容疑者（四二）もそういう家族の一員であったことが動機だとされていました。実情はまだ闇の中ですが、マスコミは、この法外な献金問題と、旧統一教会の政治家との関わりを追求してきました。

こういう事件のその後の解明のされ方は、もちろん気になるのですが、「信者からの献金」というスタイルが「教会」を富裕化させ、その収益金を使って政治家を動かし、自分たちの教義に都合のいい世の中を創り上げるというスタイルは、おそらく世界中で「教会」や「寺院」というものが結成され始めた頃からの「問題」であったように思われます。

高校の「歴史総合」に、「ルターによる宗教改革」と題してわずか数行の説明がされています。「一五一七年にルターがローマ教皇に対して『九五か条の論題』を出して宗教改革がはじまり、カトリックに対するプロテスタントの成立につながった」（『歴史総合』実教出版）と。「論題」とは高校生にもわかりやすいように「和訳」されたものですが、正式には「贖宥《しょくゆう》の効力を明らかにするための討論」（ルター『宗教改革三大文書』講談社学術文庫）で、「贖宥」とは「免罪」のことでした。この当時、教会は、死後に受ける「罰の苦しみ」（自分だけではなく家族や先祖のうけてきた罰）から逃れるために「免罪符」なるものを購入させて、「教会の豪華な大聖堂を建設するための資金源」に当てていたのですが、ルターはそれを批判し、聖書の教えに立ち戻るように訴えました。たとえば、次のように。

〔八六〕また、なぜ教皇は、財政的に今日では〔ローマの大富豪である〕豊かなクラッスより富を得ているのに、貧しい信徒たちのお金ではなく、自らのお金で、この聖ペトロ大聖堂だけでも建ててみようと思わないのか。（深井智朗訳）

こういう問題が、二〇二二年に大問題になった「旧統一教会」の問題とそっくりであることは、見過ごしてはならないところだと思います。宗教が、信仰集団として組織化されると、そこに集うための建物＝教会が必要になり、そのための建築資金や、その組織を維持するための聖職者の賄いや、その教義を支持してくれる政治家の確保のために、そういう免罪符的な寄付金は、いくら徴収してもしすぎることはないというふうに動いてきていたからです。

今回の「旧統一教会」も、家族の不幸に付け入り、そこから先祖の起こして来た（であろう）罪までも誇張してあげつらい、その罪や罰が許されるための献金を要求してきた教団で、古い中世の教会史をそのまま再現してきたような教団でした。そしてこの問題は、なにもキリスト教の歴史の中だけで起こっていた出来事ではなく、仏教の歴史の中でも起こっていたことでした。

日本では鎌倉時代に台頭してきた念仏仏教が、大きな寺院の建設とともに維持されてきたそれまでの教団仏教に対して、念仏を唱えるだけでいいとする仏教として対立してゆきます。法然や親鸞の出現です。一二〇〇年前後になりますから、ルターの「九五ヶ条の提題」（一五一七年）より三〇〇年も前の出来事です。

むろんこういうことは、すでに無教会派の内村鑑三が「我が信仰の友　源信と法然と親鸞」という短い文章の中で指摘していました。「我が信仰の友はひとりドイツのルーテルに限らない、（略）我国の源信僧都、法然上人、親鸞上人も、また我が善き信仰の友である。」（『内村鑑三全集二二』岩波書店）。

しかしこうした教会批判の歴史は、今回の旧統一教会問題が起こって改めてその先駆的な意味が分かってきたというものです。

(3) 魔女狩り――土着の信仰とキリスト教

こうしたルターの「宗教改革」を考えようとすると、ルターを生んだそれまでのヨーロッパのキリスト教の歴史を考えることがどうしても必要になってきます。もちろん歴史のお温習《さら》いをするというわけではないのですが、いくつかたずねてみなくてはならないことがあります。それは中世ヨーロッパ史の中で、飢饉や黒死病（ペスト）が流行し、ヨーロッパの人口の四分の一が亡くなったとまでされる一四世紀半ばの出来事についてです。その時期の大きな社会不安が広がる中で、国王たちは法律的に「税金」という名目で人々から金銭（収穫物）を巻き上げるシステムを強行させ、教会（教皇）は教義により「献金」という名目で人々から金銭を（収穫物）を巻き上げるシステムを作り上げ、その両面にわたり人々を苦しめてきていました。そこから、政治と宗教の分離、いわゆる「政教分離」の動きが始まり、その中でルターの「免罪符批判（献金批判）」も起こっていきました。こういう経過は、今年起こった「政教癒着」事件の経過と、そんなに違わないことが、すでに、くり返しヨーロッパで起こっていたということを教えてくれています。

その中世ヨーロッパで、引き起こされた最大の悲劇が「魔女刈り」の「問題」でした。この歴史もおさらいをするわけではありませんが、ヨーロッパが教会化（教派別信仰共同体化）するキリスト教一色に染められてきた中で起こっていた出来事でした。つまり、そういう教派的信仰共同体の活動の枠に収まらない人たち、（それは土着の信仰を維持する人たちや、異宗教を信仰する人たちです）が、「魔女」扱いをされてゆきました。こうした魔女狩りの起源には諸説あります。一二世紀頃から始まったとか、一五世紀後半から一気に広がり、一七世紀には終ったとか、いやその後も続いていたとか。おそらく背景には、ヨーロッパをみまった気候変動による大飢饉（一三一五年から一三一七年に発生）やペスト（黒死病）が大流行し、ヨーロッパの人口の四分の一が亡くなったと言われる時期（一三四七年から一三五一年にかけて、七五〇〇万人から二億人が死亡したとされる時期）があって、この頃に、そういう飢饉や疫病を流行らすものを、人々や教会が利用して、「魔女」に仕立てていったと推測されています。

この過程で、人々や教会や政治体制にとって都合の悪い考えや、古い信仰を持った人たちを、大量に排斥する動きが生まれていたということです。問題はこういう「魔女狩り」のような大量の排斥運動は、その後、ナチスのユダヤ人の排斥や障害者の排斥まで、かたちを変えて、何度も起こり続けていたということでした。

(4) 実業家の出現と「有用性」に基づく「正義」の現れ

そして同時に、そういう時代背景の中で生まれていたのが、たとえばパリのノートルダム大聖堂（一二二五年完成。二〇一九年大火災に遭いましたが）のような大建築を作る実業家たちの出現でした。ウェーバーなら資本家の出現の時期と考える（『プロテスタンティズムの倫理と資本主義の精神』）のでしょうが、まさにルターのカトリック教会のへ批判とそこから起こった「プロテスタント」の運動が、新しい精神を持った資本家と労働者を生んでいったのは皮肉な歴史でした。ここでも歴史のおさらいというよりかは、こういうヨーロッパの大きな動きの底に形成されていった生産活動と、そこで働く人々に求められる「有用性」の価値観を基盤に持つ政治体制の創出過程への注目が大事です。

こうした資本制の政治体制からは「有用性」が重視され、その過程に参加できない人々を「無用者」として区別してゆきました。そして一方で、宗教的には「教会（カトリック、プロテスタントの両方の）」の価値観にあわないものを「異端」や「魔女」「悪」として排斥する動きが形成されていきました。そういう時代の背後には、十回にもわたる十字軍の遠征もあり、エルサレムをイスラム教から「奪い返す」目的で、敵対する者たちへの虐殺や掠奪も公然と行われていました。

見過ごせないのは、こうしたさまざまな利害をもとになされた「排斥」が、「公然の殺人」として承認されていたところです。というのも、こうした中世が創り出した、政治的、宗教的な党派制に基づく「有用性」が、「正義」として承認される中で、「殺人」が「正義」を実行するために必要なこととして正当化される時代がやってきていたということです。

(5)「正義」の実行者としての「兵士」

そのことが特に顕著になるのが「兵士」という人間の存在の仕方でした。もちろん「兵士」に近い「防人」「戦士」などは古代からあったわけですが、そこには共通しているものがあると思います。

たとえば、個人がなにかの不利益をこうむったり、危険にさらされたりしたときは、身を守るために、反撃としての暴力や殺人を犯すことは、従来からありました。こうした「反撃」としての「殺人」には、「個人的な理由」が考慮されてきました。しかし「破壊者としての兵士」は、「個人的な恨み」があって、殺人や破壊をするのではなく、政治や宗教の考えによって、「排斥」の対象にされたものを、もはや「同類」とみなさず、つまり「同じ人間」とは見なさない事態が起こっていました。そんな中で、「敵」とか「異端」「魔女」「悪」「無用者」と見なされると、その人たちはもう「破壊」すべき者としか見なされなくなっていきました。「破壊者としての兵士」の出現です。

こうした「兵士」の出現と、「有用性」を基準に持つ「正義」のあり方は、どこかで連動していたのがわかります。それぞれの教会や、それを支持する政治の思惑が「正義」となり、それに合わないものは異端、とみなされ、その異端者たちは「兵士」で破壊されることになっていたからです。

日本が「武士」と呼ばれる「兵士」を創り出したのは鎌倉時代ですが、その基礎を創り出した

「平家」は「平家にあらずんば人にあらず」という有名な言葉を後世に残したように、平家に排斥されるものは「人」としても認められずに排除されるというわけでした。

こうした「兵士」は、相手に何か個人的に恨みがあるわけではなく、政治的宗教的に決められた命令に沿って、その排斥するもの（人、建物、所有物）の「破壊」を公然とするように仕向けられることになっています。「兵士」は「命令通りにする」という生き方を強要されることになっていったわけです。自分で判断して殺人や殺戮をするのではなく、命令に沿って、それをためらいもなく平然とやってのける存在になります。

事実、今回のウクライナ戦争で、ウクライナ側から「集団殺戮」をしたと訴えられている兵士に、これ見よがしにプーチン大統領が「勲章」を授与するニュースが流されていました。

ところで「兵士」になって「敵」を「殺す」といっても、その「敵」を、「兵士」はどうやって見分けるのかということです。「魔女」といったり「ユダヤ人」であるといっても、それを見分けることができないからです。誰かが、あれは魔女だといい、あいつはユダヤ人だといわないと、分からないからです。

(6) ウクライナ戦争の時代へ

こうして話は、現代のウクライナ戦争へとつながってゆきます。以前に、オリバー・ストーンによるプーチン大統領へのロングインタビューの映像のことをお伝えしたことがあるのですが、その中に、プーチンの自宅に招かれたストーンが、その自宅の中に宗教的な飾り付けで占められている部屋を見せられる場面がありました。プーチン側の計算された信仰深さの演出だと思われるのですが、今回のウクライナ侵攻でも、気になるニュースが流されているのを見ました。

朝日新聞社（二〇二二年一一月五日）に、「ウクライナ侵攻で苦戦するロシアで、プーチン政権内で、侵攻を「聖戦」のように正当化する発言が目立ってきた。ウクライナや欧米を「悪魔」と批判し、「非サタン化」が必要だと主張している」と書かれ、翌日のFRIDAYデジタル（二〇二二年一一月六日）でも、次のようなことが紹介されていました。

　例えば、一〇月末に欧米メディアが報じたプーチン大統領の「首席エクソシスト就任」がそれだ。ロシア正教会のキリル総主教がプーチン大統領を「首席エクソシスト」に任命し、「反キリストに対する闘士」と称賛したという。英エクスプレス紙によると、キリル総主教は声明を出し

「ウクライナがサタンの支配下にあり、キリスト教を放棄した。だから、悪魔払いのためにプーチン大統領がウクライナと戦っている」

と主張。ロシアが紛争の規模を、国家間から宗教規模に広げたい思惑が見て取れる。ロシア安全保障会議のアレクセイ・パブロフ氏は

「ウクライナ人はロシア正教を放棄し、サタン教など何百もの悪魔の宗教を信じている。

これは悪魔に憑りつかれているからだ。特殊軍事作戦の継続によって、ウクライナを〝脱サタン化〟しなければならない」

と述べ、ウクライナ侵攻を正当化しようとしている。

（軍事ジャーナリストの話）

こうした記事の信憑性について、私には判断のすべがありませんが、一つわかることは、こういう「宗教的なもの」に訴えることで、いかに国民に共感させるものが大きいかということでした。それは日本の、太平洋戦争のことを振り返っても、「鬼畜米英」というわかりやすい標語で、敵国を「鬼」の住むところというイメージを国民に与え、戦争への支持を堅固にしていたのですから。なので、こういうロシアのニュースを、ガセネタというか偽情報のようには思えないところがあります。

なぜこういうニュースが気になるのかというと、「敵国」に住む者が「鬼」や「サタン」であると思えば、そこを爆撃したり、ミサイルを撃ち込むロシアは「正しいこと」をしているということになり、国家の支持、プーチン支持につながっているところが見えてくるからです。

一二月二五日のニュースでは、ロシアのプーチン大統領は二五日放送の国営テレビのインタビューで、ウクライナ侵攻を巡り「我々は正しい方向にあり国益を守っている」と述べた。【カイロ＝久門武史】と伝えられていました。

問題は、「敵国」がサタンの住み処と見なされることで何が起こるかということです。つまり、サタンの国にならば、発電所やマーケットをめがけて、いくら爆弾やミサイルを撃ち込んでもいいし、「兵士」として、サタンの国に進軍したときには、人命や住宅をいくら破壊してもいいということになってゆきます。

二月から三月、四月にかけて、ロシア軍が首都キーウに向けて侵入し始めた時、その道中の町や村で、一般市民の「虐殺」がおこなわれたことがいま大きな問題になっています。侵略者たちは、それまでは「同朋」や「兄弟」のようにみなしてきたウクライナの一般の人々を、「敵」つまり「サタン」として「破壊」していったということでした。

しかし「問題」となるのは、先ほども言いましたように「敵＝サタン」を見分けるすべがロシア兵にあったのかということです。それまでは「同朋」だったのですし、「同朋」であるがゆえに、ロシア人とウクライナ人の混血の人たちもたくさんいたのですから、そのなかに「敵＝サタン」を見分けるすべなど、できようがなかったはずなのです。たぶんそこでの見分けの基準は、ロシア語を話せるかどうかとか、ギリシア正教を信仰しているのかというようなことだったかも知れません。とにかく簡単な目印でもって、相手が「敵＝サタン」かどうかを認識して殺害していたように思われます。それでも見分けられないと「拷問部屋」で、強制的にウクライナ人である事を白状させて、結局虐殺するということでした。

中世の「魔女狩り」でもひどい拷問が行われ、それは自分が魔女である事を認めるまで続けられ、結局は殺されていきました。そのことと同じ様なことがウクライナでも実行されていたと思れます。

(7) 誰が「魔女」を見分けるのか

繰り返しますが、結局、魔女狩りの時もそうだったのですが、誰も「魔女」を見分けることなど出来ていなかったように、「同朋」だったウクライの一般市民に「サタン」を見い出すことなどできないのです。でも、私があえてここでそういうことを言うのは、それでも、かつての中世ヨーロッパでは、そんな「魔女狩り」が現実に行われていたということを思い浮かべているからなのです（森島恒雄『魔女狩り』岩波新書）。何万から何十万の無実の人たちが「魔女」として殺された歴史のことです。その時の資料を読んでよく分かることは、一般の人たちは誰も自分では「魔女」を見分けられないのに、金をもらって「魔女」を「見分ける」役割を持った者たちがいたということでした。確かに、そういう者がいなければ「魔女狩り」などというものは実行できなかったからです。

私がなぜあえてこのような大昔の出来事を持ち出すのかと言いますと、実は「津久井やまゆり園事件」の犯人、植松聖の行動がそこに透かし見えるところを感じているからなんです。

私は以前のお便りで、一晩で四五人を殺傷した出来事が、植松聖「ひとり」で為しえたものではなく、彼の殺害を「補助」（吉本隆明の言葉で言えば「加担」）した者がいて実現されたものであることを指摘したことがありました。たぶんその当時（そして今も）そのことに深く関心を示すことは難しいことでした。というのも、そういう視座は、とても丁寧に言わないと、「補助」した人の「責任」を問うような言い方になりかねず、被害者であるはずの人を加害者のように見てしまう恐ろしさを関係者の方々はよくわかっているからだと思われます。しかし、ここはとても大事なところなので、誤解されないように、慎重にこの視点について、いくつかの思いを語らなくてはならないと思っています。

以上のようなことを、佐藤さんの『津久井やまゆり園「優生テロ」事件、その深層とその後』を読むまでに考えておりました。

(8) 『津久井やまゆり園「優生テロ」事件、その深層とその後』を読んで

佐藤さんが『津久井やまゆり園「優生テロ」事件、その深層とその後』で取り組もうとされたテーマは、とても多岐にわたっているので、以下に要点をいくつか箇条書きにしてみました。漏れているテーマがたくさんあるのがわかりますが、とりあえず、仮の作業とさせてもらい、他にもこんなテーマがあるという所は、今後加えてゆけたらと思っています。こういう多岐に渡るテーマを含んでいるがゆえに、佐藤さんは本のタイトルに、次のような副題を付けていました。

「優生テロ」事件、その深層とその後
「戦争と福祉と優生思想」

なぜ長くなる副題を付けようとされたのかというと、これは「相模原殺傷事件」「相模原障害者殺人事件」「津久井やまゆり園事件」といくつもの呼び方で呼ばれるこの事件が、何かしら凶悪な犯人の引き起こした異常な事件の紹介のようにみられるだけでは困るという思いがあったからです。何かしら「大きな背景」があってこそ、こういう異様な事件が引き起こされたはずで、そこを「解明」してゆかないと、またこのような事件は繰り返されるのではないかという「予感」があったからです。私が世界史を振り返って、確認してきたように。それゆえに本の帯にも、次のように書かれました。

「植松聖」は「私たちの生きているこの社会」から、どうして現れてきたのか。

その問いを踏まえた上で、とりあえずは、この本が追求しようとしたテーマの箇条書きを示してみたいと思います。

A 「背景」の問題

①「障害」をもつ当事者が家で暮らせない様々な事情。
②当事者の病歴と家族の経済、住宅事情、家族史。
③施設との出会い。家族の救済。
④施設への入居。家族の安堵と懸念。
⑤家族にはわからなくなる施設の対応。

⑥ 施設側の運営の理念。
⑦ 理念と乖離する現場の職員の思いと対応。
⑧ 施設の管理者には見えなくなる職員の動き。
⑨ 入居者への虐待があとを絶たないニュース。
⑩ 監視カメラでわかることと、わからないこと（ケアの可視化とプライバシーの保護）。
⑪ 施設で暮らすことと地域で暮らすこと。
⑫ ケアとは何なのか。

B　植松聖と殺傷事件の問題

① 事件の経過と解明。
② 事件をおこした植松聖の動機や殺害に至る考えの整理と解明。
③ 植松聖の個人史、家族史の解明。
④ 整形や入れ墨などに見られる「美」への憧れ。「美」と「グロテスク」、「美女と野獣」のテーマの呪縛。
⑤ 事件の裁判から見えてくるもの。検察側と弁護側の思惑の違い。
⑥ 個人の病理と時代背景との関係。
⑦ 類似事件との比較と相違。

C　残される課題

①　事件の「全貌」の解明。「全貌」とは何か。
②　加害者への誹謗と共感への対応。
③　被害者と家族への誹謗と共感への対応。
④　家族の苦悩や後悔の記録を残すことの意義。小史が世界史になるために。
⑤　繰り返される事件の防止のために。
⑥　事件を「解明」するとは、何を「解明」することなのか。

この本を読む前に、私が今年起こった二つの出来事、「ロシアによるウクライナへの侵略戦争」と「旧統一会の安倍元総理殺害事件」に通底する問題を「世界史的な視野」で振り返ると、どのように見えてくるのかということを先に書いてみたのですが、その後佐藤さんの本を読むと、やはりどこかで、こういう二つの出来事と無関係ではないのではという思いを強くしたしだいです。

とくに「兵士」に「なる」という視点は、事件の「解明」のための一つの視座を提供するように強く感じました。私が注目したのは、恨みや無念さを晴らすための殺人や無差別殺傷というのではなく、「敵」になる目標を定めた上で、冷酷非情に殺戮を実行したというのであれば、それは「兵士」のような位置に自分を置いた結果のようにも見えてきていたからです。

実際に、「兵士」は、自分の寄って立つ「正義」を事前に示されていて、その「正義」の対極には、異端やサタンのような、「正義」に反するもの、「人間」であるまじきものがいて、そういう者の「破壊」を遂行するものが「兵士」であるという自覚を求められていました。そういう「兵士」は、「命令」に従うだけの者として生きることでした。佐藤さんがアウシェビッツのユダヤ人をガス室に送り込んだ人物の証言が「自分は命令されたことをしたまで」という理由であったところに注目されていましたが、「兵士」になるということは、自分の判断で「人殺し」をしたわけではなく、「命令」にそって、「命令」にかなうような行いをしただけということになっていましたから。

この「自分の判断」ではなく「命令者の判断」に添って、殺戮をしたという「証言」に対抗する理屈を立てることはとても難しいように私には思われました。そのことについて、私は以前の往復メールで、植松聖が、入居者の殺害を実行するときに、施設職員を同行させて、その人の「判断」をいかにも「国の判断」に準ずる「命令」や「代弁」のように勝手に受けとめ直し、実行していたのではと書いておきましたが、そういうあり方が「兵士」のあり方に近いと考えれば、血も涙もないような冷血な殺害も、「人殺し」のようには思わずに、「サタン狩り」のように平然とやってのけ、反省の色も見せないというような異常な反応を見せていたところも、少しはわかる様なところがあるように思えます。

そう考えると、佐藤さんが副題に書かれていた「優生テロ」という言い方の、テロリズム（「政治目的のために、暴力あるいはその脅威に訴える傾向。また、その行為。暴力主義。テロ。」『広辞苑第七版』）と兵士の関係が見えてくるものがありますし、「戦争と福祉と優生思想」と書かれていた副題にも通じるものがあるように思われます。そうしてみると、「植松聖」は「私たちの生きていることの社会」から、どうして現れてきたのか、という佐藤さんの問いかけに対しても、植松聖は、「兵士」の作られる地平から生まれて来た、と答えることのできる道筋が一つあるように感じました。実際に植松聖は、当時の政治家に、たくさんの障害者を殺すことのできる「兵士としての自分」を売り込む手紙を書いていましたから。といっても、これはむろん私の一つの、回答の試みにすぎませんが。

(9) 記録から世界史へ

ところで、「兵士」として生きることの問題をつきつめるだけでは、事件の「全貌」を「解明」したことにならないことは、先ほど箇条書きにしたテーマの多様性を見てもわかります。その一つ一つを「解明」してゆかない限り「全貌」に迫れないのですが、果敢にもよく佐藤さんはその「解明」に挑まれていると感じました。なぜそこまで、食らいついて、事件の「全貌」に迫ろうとされるのかは、読まれた方にはよく分かってゆくことになります。それは佐藤さんの家族が、まさに事件の被害者の家族のようにして生きてこられた過去があったからです。でも、そういう当事者を抱える家族は、どこかで「被害者」でありつつ「加害者」のようにも意識せざるを得ないところがあり、その苦悩を表に出すことはさらに辛い思いをすることにもなるという複雑な思いもよく書いておられました。なのでふつうは、そのような何重にも重なる複雑な思いを引き受ける家族は少ないのに、よく佐藤さんは引き受けてこられたと思います。

佐藤さんは最後に遠慮しながらも「父親の手記」を掲載しておられるのですが、これはそういう遠慮されて掲載されるような性質のものではないと思われます。というのも、起こった出来事は、手記や記録として残されても、それが何らかの形で発表されないと、結局誰の目にも止まることなく消えてしまうとしてあったからです。そうして消えてゆく出来事は「無かったこと」になってゆきます。

そのことは今回魔女の歴史を調べたときに、地方地方で、どれだけの「魔女」がどのように処刑されたのかの記録が残されていて、後の人たちがそれを集計してゆくと何万もの人たちが、無実の罪で殺されていったのかわかり、それが世界史として共有されるものになってきたことがよくわかりました。そういうことは日本の戦没者の手記を集めようとした人たちの苦労にも通じるものがあります。戦後間もなくの時期は、このような手記が公表されることへの抵抗が多くあったのですが、時間が経つに連れて、このような手記の残されていたことで、戦争当時の若者の心の動きが、後の若い人たちとも共有出来るものになっていきました。

私たちの往復メールのテーマの一つに、「世界史」とは何かの問いかけがあったわけですが、それは、個々の人々の記録がまずあり、それが公表されることで、後の人たちがそれをたどれることができるようになり、それが多くの人の共有出来るものになれば、さらに「世界史」として残される道も開けてくるところを感じていたからではないかと今では思っています。

私たちにとって、津久井やまゆり園事件が、今でも生きていると感じるのは、ますます広がるネットでの誹謗中傷や、得体の知れない情報で、「的」にされた人々のイメージがゆがめられ、そのゆがめられるイメージに対して、まるで「サタン」を相手にするかのような破壊的な攻撃が浴びせられるとき、多くの人々が「隠れ兵士」となって、無慈悲な攻撃をあびせることになってきているのではないかと感じているからです。そしてそういう風に人々の心や尊厳が踏みにじられると、自殺に追い込まれるひともでてきます。

自分では「サタン」を見分けるすべは持っていないのに、誰かが「サタン」と言ってくれるとたんに反応し、やっぱり「サタン」なんだと思い込み、破壊的な攻撃を仕掛けるという風潮が今日出てきています。空恐ろしい時代になってきていると思います。

(10)「美」を求めるあまりに

佐藤さんの、広範囲なテーマの追求を読みながら、その多くに触れることが出来ずに、今回のメールは終わってしまうのですが、そこに触れられていて、私自身もどうしても気になることがありますので、それについて少し触れることで今回は終わりたいと思います。

これも前の往復メールで触れたことですが、「金閣寺」を「美」と見ることで、どこかに「グロテスク（「①怪奇的。奇怪。異様。無気味。グロ。」広辞苑 第七版）」を感じてしまうことの感性の問題についてです。戦後「〇〇にとって美とは何か」というふうな問いかけの論考が書かれることが多々ありました。

「美」を求めるとは、逆にいえば「美」ではないものを意識しすぎるということでもあります。従来から、美は「真善美」と一体化され、哲学では「普遍なもの」と思われてきたものなのですが、今ではそれは、ある国の、ある政治の、ある社会の、ある宗教の、ある正義にとっての「普遍性」であって……というふうに見ることが求められてきています。

だから「真善美」は、今ではとても「小さな普遍性」に過ぎないことが分かってきているのに、そういう「小さな普遍性」を「みんなの普遍性」「みんなの正義」のように感じる感性が育ってきているように思われます。そういう感性、つまり「小さな正義」でもって、それに反するものを敵対視し、誹謗中傷を浴びせ、破壊するという傾向の出現です。もちろんそういうことが気軽にできるネット技術の向上も加担しているわけですが、「小さな正義」の抱える「美」の意識が、それに反するものを「醜」「愚」「変」「病」「老」「悪」「魔」として、つまり「怪物性（グロテスク）」として過剰に意識されてきているところは、いくら強調してもしすぎることはないように思われますし、植松聖の過剰な「美意識」が、過剰な「怪物性（グロテスク）」への感性を育ててきていたようにも思われます。

この「美」を求める意識が、一体どこから来ているのかは、植松聖がどこから現れてきていたのかを考える、もう一つの大事な問いかけになっているようにも感じました。今回はそういう所までを考えて、お便りとさせていただきます。

（二〇二二年一二月二七日）

〔第四信〕佐藤幹夫

ポスト・トゥルースの時代と「新しい戦前」のはじまり

(1)「事実の記録」がなぜこんなに難しくなったのか

のっけから〝わたくしごと〟で失礼します。『津久井やまゆり園「優生テロ」事件、その深層とその後』（現代書館、二〇二二年）の刊行から一カ月。勢いを借りて一気に駆け抜けようと、『飢餓陣営』五七号の編集作業を始めたつもりでした。ところが、大部の仕事を終えた直後ゆえか、さすがにへばっていたようで、いつもの粘り腰にはほど遠いこの一カ月でした。

メール、ありがとうございます。いつもながらスケールの大きな語り口に惹かれながら、とてもおもしろく拝見しました。私のほうは、やまゆり園の事件を材としながら戦後史・現代史を描こうと試みたのですが、村瀬さんは、類似の主題を取り扱いながら、宗教と「兵士」というキーワードで、世界史のなかで素描されている。そんな力技と強い意思を感じました。

統一教会と自民公明政権の癒着という「宗教と政治」の問題は、すでにキリスト教の始まりのころから何度も取り沙汰されてきた、その時々の宗教や政治と相容れない存在は、魔女狩りというかたちをとって排除され、その後の時代になっても、様々なかたちで再生産されてきた。そして「正義」を実行する担い手としての「兵士」。そこに深く関わる「有用性」という経済原理。こんなふうにしてロシア―ウクライナ戦争と、植松聖と統一教会問題が串刺しにされていく。そういうダイナミックな展開になっています。

この村瀬ワールドを、なんとかして私なりの問題設定（フォーマット）のほうに移し替えなくてはならないのですが、ひとまずは、次のように書き留めておきたいと思います。津久井やまゆり園事件の後、世界史的な出来事が続きました。コロナ・パンデミック、ロシア―ウクライナ戦争、安倍元総理銃撃事件、そこから明るみに出た戦後政治を担ってきた政権党と統一教会との、驚くべき深い癒着、統一教会による「献金」という名目の、信者からの巨額の搾取。

これらは、村瀬さんも文中で指摘されているように、ひとつながりの出来事のように感じられます。いやもっと積極的に、関連し合う出来事としてそこに共通のテーマを見定めたほうがいいのではないか。

それが、今回の最初のコンセプトなのですが、返信を書くにあたって私のセンサーが最も共振したのは「8．記録から世界史へ」の部分でした。村瀬さんは次のように書いていますね。佐藤は著書のエピローグで、「父親の手記」を公開するにあたってためらい見せていたがそんな必要はない、どんな記録でも公開しなければ「ないもの」になる、このメール交換での問いが「世界史」とは何かであり、「それは、個々の人々の記録がまずあり、それが公表されることで、後の人たちがそれをたどれることができるようになり、それが多くの人の共有出来るものになれば、さらに「世界史」として残される」のだと。

ひそかに感じていた不安にエールを送っていただいたようで励まされたのですが、じつは、刊行後に考えていたことがここに関わることでした。私は、ノンフィクションや批評という器を借りて現代の「記録」を、つまりは現代史を描こうとしている身です。そこには現代に固有の困難が山積している、そういう強い実感があります。村瀬さんからのメールを拝見し、まずはこの点についてお応えしてみたいと考えました。

(2) 津久井やまゆり園事件における「取材拒否」について

いま改めて感じることは、ノンフィクションの書き手にとっては、かつてない受難の時代なのではないかということです。今回の事件に即していえば、私の二十年の拙い取材経験において、これほどその方途を封じられた事件は他にはありませんでした。

被害者は匿名、遺族や家族の過半が取材拒否ということで、公判に入るまで、被害者の独自情報の多くが封じられました。やまゆり園の運営側と現場職員も緘口令が敷かれていたようで、取材不可。時折り発表される園の談話は、自分たちも被害者であり、この事件に負けずにこれから歩んでいきたい、といった類の情緒的な内容ばかりで、事件を厳しく調査していこうとする姿勢は、私の眼には、当初から見られませんでした。つまりは、園の側も実質取材拒否です。

さらには植松死刑囚の弁護団も、完全シャットアウト。なぜ取材に応じないのか、その理由さえ語りませんでした。私が目にした限り、新聞その他報道媒体へのコメントは皆無だったと思います。この一〇年、刑事事件における弁護士さんたちが公判資料の扱いに、相当縛りをかけられるようになったことは承知していますが、ここまで徹底した取材拒否には異様ささえ感じました。

では、植松死刑囚はどうか。拘置所で、記者や識者による接見が始まると同時に、彼の談話がメディアやネット上に溢れ返るのですが、私はといえば、かなり早い時期にその発言に〝見切り〟をつけました。どこをどう掘り返しても、基本的には例の自説が繰り返されるばかりで、不都合なことには頑として触れさせないだろうと感じたのです。

それでも問い詰めようとすれば、おそらくは決裂、そして接見拒否。したがってもうこれ以上のものは出てこない。強くそう考えざるを得ませんでした。私は彼の〝ラウドスピーカー〟になるつもりはありませんでしたから、私にとっては事実上の取材不可です。さらに公判段階にあっても、生育史の詳細や幼少期における両親との関係など、自分が話したくないことは一貫して証言拒否を貫きました。もちろん、どれほどの凶悪事件の加害者と言えども、法廷においては最低限の権利は保障されなくてはなりません。しかしその拒否の姿勢は異様なほどでした。

いずれにしても、このように、被害者、やまゆり園のスタッフ、弁護団という事件の当事者や関係者がすべて取材拒否、植松死刑囚からの取材は不可。幸いにして全裁判資料（速記録）を入手することができたので執筆を進められたのですが、これが、私が置かれた現状でした。

では何が書けるのか。どう書けばよいのか。そこから模索が始まっていくわけですが、こうした事態を逆手に取ることが、私が用いた打開策でした。被害者はなぜ匿名を切望し、遺族・家族はどうして取材拒否を選んだのか。やまゆり園はどうか。なぜケアの現状を公開できずにいるのか。弁護団の取材拒否は、現在行われている刑事弁護の、ある形骸化したあり方の象徴ではないか。植松死刑囚にあっては、むしろ語られていないことにこそ、その人物像を解く重要なカギがあるのではないか。――これが出発点にあたって私が考えたことでした。言い換えれば、表立っては語られなかったところにこそ、事件の本質や深層がある。発想をそう逆転させたのです。

(3) 現代のドキュメンタリーを阻む「壁」

そしていま、次のような受け止め方をし始めています。こうした「取材拒否」の壁は、ノンフィクションやドキュメンタリーの創り手がぶつかる、現在に特有の難しさではないか。今回は「取材拒否」という極端なかたちで現れたけれども、これからいろいろな形をとりながら常態化していくのではないか。現代に固有の情報公開の背後にある問題です。

たとえば「取材拒否」を背後で支えていたロジックが「個人情報の保護」であり、「尊厳を守る」という名目でした。被害者の匿名化も、遺族・家族の取材拒否も、「重度知的障害者」が強いられている差別や排除の現状から守るため、という論理を取っていました。植松死刑囚が語りたくなかったことも、つまりは取材する側からは最も知りたかったことも、裁判所も弁護団も、被告人と家族の個人情報の保護、あるいはその利益を守ることにありました。

犯罪被害者はもちろんのこと、加害者にあってさえ、その取材が不利益を被ると判断された場合、拒否することは不当ではない。そういう了解がほぼ共有されています。つまり、ノンフィクションやドキュメンタリーの創り手にとっては、「個人の保護」や「尊厳の保護」という人権思想の高まりが、皮肉にも大きな壁となって立ちはだかっていて、それを侵した場合は、提訴されるということも大いにありうるわけです。

ここから思い起こされることが、例の〝スラップ訴訟〟というやつです。ある電子辞書によれば、「個人・市民団体・ジャーナリストによる批判や反対運動を封じ込めるために、企業・政府・自治体が起こす訴訟。恫喝訴訟。威圧的訴訟。いやがらせ訴訟」とされています。

近いところでは、二〇二二年一一月一日付けの「yahoo ニュース」で、「旧統一教会による紀藤弁護士らの提訴は「スラップ訴訟だ」 弁護士グループが声明発表「言論封殺、メディアの萎縮を狙うもの」」とタイトルされたニュースが配信されました。書かれる側の拒む権利が強くなるにつれて、個人や企業の利益を保護するという正当な目的が逆用され、あるいは濫用され、とにかく批判する者、不都合な事実を明るみにしようとする創り手には提訴を、という風潮が常態化しつつあるわけですが、それは、おそらくは今後強まっていくだろうと推測されます。

二〇一九年に刊行された『江藤淳は甦える』（新潮社）という評伝をご存じでしょうか。平山周吉氏という文芸誌の編集者だった方の手になる著書ですが、単行本で七〇〇頁を超える大変な労作で、江藤淳の評伝の決定版と言ってよいものです。江藤と言えば、『妻と私』などの著作があるように、妻との二人三脚ぶりはつとに知られていました。しかしこの本では、まったく別の江藤が現れます。

バーの女性と昵懇になり、やがて店を持つにあたって出資するまでになっていく、一ページにも満たない記述ですが、そんな事実が書かれているのです。私は江藤淳のそうした裏側を初めて知り、驚きました。「隠された女性関係をどこまで書けるか、それが評伝の醍醐味だ」といった類の話は、私もあちこちから聞かされていたのですが、このご時世でそんなことをしたら、あっという間に家族から提訴されるはずです。出版差し止めや回収という事態も大いに予想されます。平山氏の〝文士魂〟の本領発揮、よくここまで書けたなと感心した反面、奥さんはすでに他界しているし江藤さんには子どもがいなかったので、それゆえにできたことだろうとも考えました。それくらい今、何を書くか、どう記述するかに対して慎重さや配慮を求められる時代になっています。

各方面による取材拒否はさらに常態化していくかもしれず、言論封殺としての提訴も、もはや減ることはないでしょう。これが著書刊行後、重大事件を現代史として記録するという事態を振り返っての、私の一つ目の感想です。「取材拒否」は、「重度障害者問題」というテーマの難しさとともに、時代の趨勢という側面もあったのです。

(4)「裁判資料の廃棄」という事態の意味するもの

二つ目は、ある時、神戸連続児童殺傷事件（通称、酒鬼薔薇事件）の全裁判資料が廃棄されたという「神戸新聞NEXT」（二〇二二年一〇月二〇日）の、次のような記事を目にしたことによります。途中、省略しながら短く紹介します。

「神戸連続児童殺傷事件と長崎小6女児殺害事件は「廃棄」で、西鉄バスジャック事件は「永久保存」――。内規で永久保存の定めがある少年事件記録で、少年法改正の契機となったような同じ著名事件でも、保存と廃棄の判断が分かれていた。歴史的な価値があり、国民の財産ともされる司法文書の廃棄は過去も問題になってきた」。今回調査が行われ、「永久保存とする記録について「主要日刊紙のうち2紙以上に判決などの記事が掲載された事件」という、いわば「数値基準」も示された。最高裁は、今回のこの件での取材に、「事件記録の選定手順を具体的に定めた運用要領がなかった」と説明」したといいます（加えて一〇月二一日の秋田さきがけ新聞によれば、「二〇〇〇年・愛知・豊川夫婦殺傷事件—廃棄」「〇三年・長崎四歳男児誘拐殺人事件—廃棄」となっています）。

最高裁はこうした実情を調査し、基本的に全面保存を打ち出そうとしているようですが、裁判資料の廃棄という問題は、私にとって盲点でした。次の仕事として、九〇年代以降の少年事件について調べてみようと考えていたのですが、もっとも重要な一次資料が失われたわけです。

第二次安倍政権の際、「もりかけサクラ」問題など、重大疑惑のたびに資料の提出を求められ、出てくるのは全面黒塗り、あるいは廃棄したという答えだったことは記憶に新しいところです。安倍時代のこの常習的な資料の隠蔽、横行する官僚の忖度、ゆるみとタルミもここまで来たかと考えていたのですが、それだけではなかったようです。神戸地裁は、「運用要領」が決められていなかったが故に廃棄したというのです。いかにも役人的な発想ですが、フリーの立場にいる物書きは、つい、次のようなことを考えました。

この件は、重大な刑事事件をさかのぼって検証する必要はないか、なぜ事件が起きたか、その裁判はどのようなものだったのか、その全体像を把握しなおして社会の安全に寄与しようとする、こうした作業がいかにこの国の報道ジャーナリズムに根付いていなかったか、という事実を物語っているように思えるのです。刑事事件の実証的ケーススタディ、という犯罪研究の習慣がなかったことと軌を一にしている。そう感じます。

気になるのは海外事情です。インターネットで検索してみると、「刑事弁護オアシス」というウェブサイトにたどり着きました。ここに、福島至氏という龍谷大学の刑事法学の専門家の方のインタビューが掲載されていました。今回の資料廃棄への批判と具体策の提案をしているのですが、なかにほんのわずかですが「諸外国の裁判記録の保存制度は」というテーマに触れている件があり、アメリカについて、おおむね、こんなことが語られています。

アメリカは、連邦の裁判所の記録は基本的に永久保存（例外的に軽微な事件は廃棄）。文書管理は公文書館の管轄に置かれるので、公文書館の監督のもとで管理している。裁判所は現用記録に対してもオープンであり、現在行っている勾留裁判の記録みたいなものまでオープンにされるが、日本は刑事確定訴訟記録法によって刑が確定しないと閲覧できない。確定したあとは誰でも原則自由に閲覧できるものの、少年事件など一定のものについては裁判所の許可が必要で、その都度審査して、許可されるかどうかが決まる。資料公開の仕組みそのものが根本的に違っている。

——

もう一つ興味深い研究報告書として、「諸外国における公文書等の管理・保存・利用等にかかる実態調査報告書」と題された資料がありました。平成一五年の日付があり、裁判所記録だけではなく、「歴史資料として重要な公文書等の 適切な保存・利用等のための研究会」によるとされ、調査対象は、韓国・中国・アメリカ・カナダ、大学の研究者より構成されたメンバーによる研究のようです（近代史研究者の加藤陽子氏の名前も見えます）。

こちらは刑事裁判の資料にはとどまらないのですが、日本国が、歴史的資料に対してどのような姿勢を有しているか、おのずと浮かび上がるような内容になっています。加えて「公文書」とは、「日本の公務所（役所）または公務員が、その名義（肩書）をもって職務権限に基づき作成する文書。文書の名義が公務所または公務員である点でこれら以外を名義とする私文書とは区別される」とされています。
全貌の紹介はできませんが、私の関心を強く引いたところに絞り込んでいくつか示してみます。「はじめに」の冒頭、いきなりこんな文章が目に飛び込んできます。

近代的公文書館制度は、国や地方の歴史・文化の基盤的制度・施設であるにもかかわらず、わが国においてはその社会的認知が必ずしも十分ではなく、その整備・充実はわが国の国力に比して極めて不十分なまま今日に至っている。

たとえば公文書館の職員数。欧米諸国、中国、韓国のいずれと比べても体制の差は歴然としているといいます。「これは、公文書館に対する国の取り組み、国民の意識、近代的な公文書館制度の歴史の短さなどに起因しており、一朝一夕には解消するのは難しい。しかし、歴史資料として重要な公文書等は国民共有の財産であり、その体系的保存を行い、国民の利用に供するとともに後世に伝えていくことは国の重要な責務である」。
この調査は歴史研究の一環として行われたのだろうと思いますが、公文書の保存などにおいて、日本の立ち遅れが明確に指摘されています。先ほど見たように公文書に限らず、資料の保存に対する意識の脆弱さは、刑事事件を題材としたノンフィクションの在り方にも、小さくない影響を与えているのではないか、という危惧が湧いてくるのです。

もちろん、冤罪事件における事後検証は、浜田寿美男さんの一連の供述分析の仕事が傑出していますし、先ほどの刑事弁護オアシスという現代人文社のサイトを閲覧すれば、免田事件を検証する膨大な資料にアクセスすることができます。ただ、ジャーナリズム全般に目を通したとき、重要な刑事裁判の資料が破棄されていたという事実に対するリアクションの弱さや、公文書保存へ意識の希薄さがどうしても気になるのです。

こうした資料保存に対する無関心は、回り回って、取材を掘り下げようとするときの足枷となって、ノンフィクションの書き手である我が身に返ってくるのではないか。ボディブローのようにじわじわと効いてくるのではないか。そういう危惧がぬぐえないのです。とくに裁判資料は私にとっては死活問題として直結しますから、余計にそう感じるのかもしれません。

これがお伝えしたかったことの二つ目です。

(5)「現実／虚構」の二元論世界から入れ子構造の多重世界へ

取材拒否とスラップ訴訟の問題、裁判資料廃棄の問題。そして三つ目が、「ポスト・トゥルース」と言われる時代にあって、ノンフィクションはどんなふうに成立するのか、前提とされる「事実（ファクト）」なるものは、どこまでその事実性が担保されるのか、そういう問題です。ノンフィクションの書き手や作り手はこのような問いと、つねに背中合わせにならざるをえない。そんな強迫観念めいた思いを、強く抱かざるを得ないのです。

ご存じのように、私は拙著のなかで、植松死刑囚のいわゆる「動機」がどのようにして形成されていったか、八つの仮説を立てて検証していきました。彼は彼で、実行に至るまでの経緯を、自身の〝信念形成〟のストーリーとして、延々と語りつづけました。村瀬さんのキーワードを拝借すれば、自身を正義の「兵士」として立たせ、実行し、自己完結させていくプロセスです。彼が語ったことはそれだけだった、と言ってもいいほどです。

私は、「彼は本当のことを話していない」、そう考え、その発言を退けました。彼自身の手になる〝植松聖物語〟にたいして、鵜呑みにしない、後追いをしない、裏読みをしながら考察を加える、といった姿勢を堅持したわけです。なぜ私がこの姿勢にこだわったか。文中で、ハンナ・アーレントの『イエルサレムのアイヒマン』(みすず書房)から、次のような言葉を引きました。

彼の語るのを聞いていればいるほど、この話す能力の不足が考える能力——つまり誰か他の人の立場に立って考える能力——の不足と密接に結びついていることがますます明白になって来る。アイヒマンとは意志の疎通が不可能である。それは彼が嘘をつくからではない。言葉と他人の存在に対する、従って現実そのものに対する最も確実な防衛機構(すなわち想像力の完全な欠如という防衛機構(独))で身を鎧っているからである。(三八頁)

これは、まさに植松死刑囚のことのように感じられたのです。他人の立場に立って考えるという能力の不足、想像力の欠如という「防衛機構」。法廷での彼の発言を聞きながら、「現実」に対して強い防衛や拒否の姿勢とともに作りだされていったストーリーが、彼がつくりあげた「植松物語」ではなかったのか。しかも「植松聖」の防衛と拒否の心理は一枚岩ではない、アイヒマン以上に多重化されている、そんなことも強く感じさせたのです。

大麻常習による意識変性がつくる要因。トランプや安倍晋三という「力」とフェイクの権化のような存在へ示す強いリスペクト。イルミナティという陰謀論への没入。「生きるに値しない人体を資源化せよ」、と主張する新自由主義的傾向と優生思想。こうした人格要因が入れ子構造になっている。しかしその奥から透けてくる「つながりたいのにつながれなかった植松聖」。これこそが、彼自身が語ることを最も拒否し、伏せ続けたものだったわけですが、こうした要因が、互いが互いを支えるようにして作られていったのが、「植松聖物語」でした。

三つ目に指摘したいノンフィクションの受難とは、この点です。単純な「現実／虚構」「真実／嘘」という二元論的理解では、もはや立ち行かなくなっている。解かなくてはならない連立方程式がさらに複雑になっている。振り返ってみると、そこに書き進めるにあたっての苦慮があったと改めて思います。

以上が、「記録から世界史へ」をテーマとして書かれた村瀬さんのメールへの、大きく、私の一つ目の主題になります。

(6) ポスト・トゥルースの時代と「新しい戦前」のはじまり

ところで、先にも書いたように、村瀬さんのメールは近年の世界史的な事件を、村瀬さんなりのタームを駆使しながら、ひとつながりのテーマの下で連結させていく試みでした。私もまた、「植松・やまゆり園事件」から始まり、「コロナ・パンデミック」「ロシア―ウクライナ戦争」「安倍氏銃撃事件と統一教会問題」と続くこの間の世界史的な出来事をつなげてみたいと考えているのですが、はたしてうまくいくかどうか。言ってみれば、一つ目のレスポンスが「記録」を中心とした内容だったのですが、二つ目は「世界史的出来事」に関わるものになります。

私は『飢餓陣営』五四号（二〇〇〇年）で、「私たちの死者はどこへ棄てられるのか——辺野古・フクシマ・やまゆり園」とタイトルされた文章を掲載しました。ざっとおさらいさせてもらうならば、「見たくない現実をめぐる戦後史」とでも称すべき内容でした。沖縄も、原子力発電所も、重度障害者施設も、私たちの戦後史では「見たくないもの」であり、「見たくないものは見ない」「見ないものは存在しない」、戦後七五年を経てそこに社会は至りついた。その結果顕《あきら》かになったのが、「死者が棄てられている」という事実だった。そういう内容です。

沖縄の基地問題も沖縄戦の死者たちも、福島原子力発電所の爆発事故の被害者たちも、人里離れた施設で暮らす重度知的障害者たちも、見えないものにすることによって、私たちの社会は戦後の繁栄を満喫してきました。しかし、「長い戦後」の終焉とともに露わになったのが、「見たくなかったもの」が一気に前景化してきたという事実です。特に東日本大震災以降顕著ですが、それは「長い戦後の終わり」を告げる象徴的事態ではなかったかと、そのように私は受け取ったのです。

「長い戦後の終わり」の後に何が始まったか。「新しい戦前」です（時流に乗るようでいささか気が引けるのですが、このように言挙げをして多くの賛同者を得たのは、奇才・森田一義氏ことタモリでした）。してみると、ここで話題としたい「コロナ・パンデミック」「ロシアーウクライナ戦争」「安倍氏銃撃と自民党統一教会問題」といった一連の出来事は、「新しい戦前」のなんであるかを示す象徴的なシグナルが、そこには含まれている。そう受け止めてよい。

ここに、先ほどの「現実／虚構」の二元論的世界から「入れ子構造となっている多重世界」へ、という議論へとつなげてみます。これら一連の出来事から、最大公約数的にとりだすことのできるキーワードを探してみると、フェイク、陰謀論、プロパガンダ、狂信、洗脳あるいはマインドコントロール。こうした言葉がどうしても浮かんできます。

さらに、これらの爆発的な拡散のための必須のアイテムが、SNSであることはいうまでもありません。SNSは今や多くの人にとって必需品となっているわけですが、そのSNSこそが、日々、幻想の世界構造を多極化させ、排除と分断を生じさせている最大のツールです。そして双方が双方に向かって、それはフェイクだ、お前たちは洗脳されているのだ、と批判し合う状況になっています。

これこそが、まさに現在が「ポスト・トゥルースの時代」と呼ばれる所以ではないか。「新しい戦前」の最大の特徴ではないか。ウクライナでは現実に多くの人が殺され、そして傷ついているることを思えば、屁のような小理屈にも感じられますが、私はそのように受け止めています。

(7) ナラティブ、フェイク、陰謀論

ここからは、『ストーリーが世界を滅ぼす』（ジョナサン・ゴットシャル著、月谷真紀訳）という本を参照してみます。サブタイトルは「物語があなたの脳を操作する」（原題は THE STORY PARADOX 副題が、How Our Love of Storytelling Builds Societies and Tears them Down）英語通の知人に確認したところ、「ストーリーテリングへの愛が、どのように社会を作り、そして破壊するのか」、そのような意味だということでした。本題、副題どちらともに意訳しすぎの感もあるのですが、意図は明瞭です。物語・ナラティブの「毒」が今や世界を覆いつくしている、そのことへの警鐘を鳴らし、ポスト・トゥルース時代を生き抜く思考法を提供しよう、これがこの本の基調音になります。

これまで世界を動かしてきたのは「物語・ナラティブ」であった、と次のように書きます。「物語とは一口に言えば、事実か（ドキュメンタリーや歴史的ナラティブのように）まったくの想像か（ビデオゲームのプロットのように）あるいはその中間か（マルクス主義の「大きな物語」のように）を問わず、特別に人を惹きつけるように情報を構造化する方法のことだ」。（六九頁）。

なにやらフーコーの「エピステーメー」（時代によって規定される大きな知の枠組み）の通俗版を

想起される件ではありますが、では物語やナラティブの目的は何か。著者のメッセージは明瞭です。マインドコントロールです。

あらゆるストーリーテラーが目指しているのはマインドコントロールであり、「力のあるストーリーテラーは私たちの頭蓋骨を通り抜け、私たちの感情と心のコントロールパネルを一時的に操作する。私たちの心に入り込むイメージと私たちをとりこにする感情を物語るのだ。それを短期的・長期的に人をなびかせるという明確な意図をもって行うことが多い」(同前)。

宗教も科学も、政治も、すべて物語によっている。よい物語こそが世界中に拡散し、人々を説き伏せてきた。その威力の大きさがどれほどのものだったか、それを示していくことが、この本の一つの柱になります。

そしてテクノロジーが高度化して以降、さらに様相は一変、「世界はフィルターバブル、フェイクニュース、野放しの確証バイアス〔自分にとって都合のいい情報ばかりを集める認知のバイアス〕というポスト真実の渦を旋回しながら落下しつつある。誰もが認める現実が解体されるにつれ、私たちは事実上のストーリーランドで暮らすようになっており、未来は事実よりもストーリーテラーが競い合う戦争によってつくられるようになる」(一〇九〜一一〇頁)。

たとえば経済においては、大企業による顧客に対する説得のナラティブはより巧妙になって浸透しています。消費者が商品に手が伸びるのは自らの意思ではなく、物語の力による。軍事にあっても、中国では政策立案者が物語の研究に着手し、ロシアの軍事作戦では「物語戦争」であると強く認識されるようになっている。現代のテクノロジーは物語を偏在させ、強力にし、武器化した。こうしたナラティブの進化・進展は止むことがない。

まさにロシア―ウクライナ戦争で、かつての情報戦とは桁違いの、極めて巧妙仕掛けられたフェイクニュースの応酬がなされています（これを著者は「ディープフェイク」と呼んでいます）。戦争のプロパガンダもしかり（高木徹『ドキュメント戦争広告代理店――情報操作とボスニア紛争』（講談社文庫）を読むと、広告代理店による情報操作がいかに威力を発揮するか、愕然とするほどです）。

さらには、コロナ・パンデミックの際にとびかったフェイクニュースは本当にすさまじかったのですが、その点についても次のように書かれます。

ポスト真実の思想市場では、誤報や偽情報が憂慮すべき予測精度で真実を打ち負かしていることを示すエビデンスが増えつつある。『サイエンス』誌に掲載された論文では、ソーシャル・ボース率いるチームが、虚偽のナラティブは真実のナラティブに単に勝っているだけでなく、ソーシャルメディア・プラットホーム上の拡散においてあらゆる指標で完勝していることを示しており、危機感をかき立てる。（二四八頁）

そして著者は、「これら誤った情報源が撒き散らした混乱が、パンデミックの人的・経済的被害を最小限に抑える努力の邪魔をしている。アメリカでウィルスがあれほど拡散したのは、真実よりもフィクションが拡散したからに外ならない」と断言しています。

真実はフェイクニュース、陰謀論、プロパガンダに打ち負かされ、気づかないうちに、狂信、洗脳・マインドコントロール、確証バイアスが浸透し、ナラティブは、もはや病理というべきところまで事態は進んでいる。ポスト・トゥルースの時代はエビデンスの力が奪われた時代であり、「私たちが暗黒時代〔キリスト教原理主義による物語が横暴をふるっていた時代。村瀬さんが書いておられた「魔女狩り」に相当する時代です〕から光の中へと這い出せたのはエビデンスのおかげだ。科学のおかげだ。今、私たちは共有された現実の世界を立ち去ろうとしている」（二二五頁）

そしてエビデンスと科学を破壊した張本人として一人の人物を登場させるのですが、著者はその名前を書くことは屈辱だといい、「でかメガホン」と呼び、「アメリカ初の「虚構」の大統領」と書いて、強烈な批判を加えていきます。その人物は「私たちの偏見や迷信への熱中と部族主義的な暴力を好む性向を復活させようとしている。その危険性は、虚構の時代のとある偉大な英雄に分かりやすく体現されている。（略）彼は私たちの物語心理のあらゆる力とあらゆる危険の生きた見本だ」（二二五〜二二六頁）。

では、そのような人物がなぜアメリカ大統領にまで上り詰めることができたのか。「ストーリーテラーが世界を支配する」という格言の大きな見本であり、「空想家としての天性の才能」とナラティブを操る特殊能力こそ、全世界を相手にし、自分たちを打ち負かしたのだ、と書きます。

彼は、分断を壮大に推し進めていく、ポスト・トゥルース時代のシンボリックなストーリーテラーだったことは間違いありません。

(8) 疑似宗教としての陰謀論

この本のもう一つの重要なトピックが陰謀論です。そのポイントと思えるところを、いくつか拾い上げておきます。

著者は陰謀「論」ではなく「物語」だといい、「陰謀物語」という語彙を選んでいるのですが、要は、いくら論理的・客観的に正しい「論」であろうと、情に訴えるものがなければそれは拡散しない。情に訴えかける物語こそが多くの人の支持を得るのだといい、ここは著者の主張の重要な眼目の一つです。

さらに、世の中で流行った陰謀論にはいくつかのパターンがある、突き詰めればすべての陰謀論が「悪」の存在を主張し、現在も進行している物語として語られる。ケネディ暗殺は過去のことだが、そこで暗躍した悪の組織は現在も世界を動かしている、そう著者はいいます。

たしかに安倍元総理の暗殺事件にも、山上容疑者・オズワルド説（真犯人は別に存在する）が、いまだ根強く語られています。真犯人はだれか。なぜ殺されなくてはならなかったのか。あまりにも本気で台湾有事を推し進めようとした安倍元総理に対し、できるだけ中国との戦争を回避したいアメリカの軍関係者がそれを阻止しようとし、暗殺に及んだのだ、という理由だといいます。

したがって陰謀物語には、信者に何らかの行動を起こせという呼びかけを伏在させている（まさにトランプの扇動で、連邦議会議事堂を襲撃した人々がそうでした。さらには「植松聖」もそれはお前の使命だという呼びかけをキャッチし、それに応じるようにして実行に移したのでした）。

なぜ陰謀論にはまり込んだ人間の説得が難しいのか。著者は次のように書きます。「陰謀論的世界観はエゴを満足させる。この点が、ひとたび陰謀論の世界にはまった人を現実に引き戻すのが難しい理由の一つだ。陰謀論のナラティブの中にいる限り、そこではヒーローでいられる」（一二八頁）。

私はこれまで植松死刑囚の心理的変遷を追いながら、陰謀論者は、自分は認められていないという不遇感と孤立感をじつは抱えもち、世間に認めさせてやるという一発逆転の心理をもっている。陰謀物語をもつことによって「自分だけが世界の秘密を解き明かした」という優越的感情が与えられる。そう折に触れて書いてきました。だからこそそれは、出口を持たない（必要としない）モノローグの世界になる（もちろんこんな指摘を、本人は口が裂けても認めないでしょうが）。したがって、著者の見解はまさに我が意を得たりでした。

そして著者は、陰謀物語は疑似宗教であるといいます。「どちらの現象も、それを否定するエビデンスを鉄壁のようにはね返すという特徴がある」（一二九頁）。たとえば宗教原理主義者は、科学をフェイクとして退ける（人間も世界も神の創造によるものであり、地球は球体ではなく平面であると確信している）。法的判断においても同様で、「保守派とリベラル派の判事がともに大統領の法的な異議申し立てを何度も却下したにもかかわらず、彼の物語は共和党支持者の70％に不信感を残すことに成功」したばかりか、「一部の人々は暴徒となって連邦議会議事堂に乱入」したわけですが、これがその顕著な例でしょう。

こうした陰謀論や陰謀論的思考が、なぜ社会にとって脅威となるか。「科学技術者らは私たちがインフォカリプス〔社会が嘘の情報によって混乱している状態。トランプ元大統領が、自分にとって都合の悪い情報を「それはフェイクニュースだ」と言い続けたことによって生じた混乱状態に端を発している〕、情報の終焉に急速に向かっていると警告する。ありとあらゆるエビデンスの捏造が可能になるがゆえにどんなエビデンスも否定できるようになるだろう。合理的な意思決定の礎となるべきエビデンスが崩壊するだろう」（二四六頁）。

その結果、民主主義自体が終焉を迎えることになる。そういう時代を私たちは生きているのだと言います。

(9) ポスト・トゥルースの時代と「ソフトな独裁政権」

さて村瀬さん、エビデンスの隠蔽や捏造が日常化し、合理的な意思決定のプロセスが破壊され、民主主義が風前の灯火となっている事態がどこで生じているかと言えば、まさに、現在の日本社会そのものの現状なのではないでしょうか。かつて「高齢社会の先端を走る日本は、世界のモデルケースとなるだろう」と言われていましたが、いまや、ポスト・トゥルース時代をぶっちぎりで独走する国、という栄誉を与えたくなります。言うまでもなくその象徴的現象が、政権を担ってきた自民党と、統一教会の驚くような癒着問題です。

八年にわたった第二次安倍政権から菅政権へと続き、混乱した政局の、いわば敗戦処理として登場した感のあった岸田政権でした。ところが、安倍元総理の銃撃事件によって事情が一変しました。安倍氏国葬への批判と、自民党政治家による統一教会との関係の検証が不十分ということで、支持率が低迷の一途を辿りました。ところがそのことを契機として（と私には見えます）岸田政権は政策決定に関して、ワンマン路線を走り始めました。ソフトな雰囲気を醸し出しながら、安倍‐菅政権以上に強引で、独裁化しているとさえ感じられます。

本来独裁政権とは、独裁ゆえに高い支持率を誇るのが通例です。あるいは高い支持率が政権の独裁化を許していき、やがてその政権以外の支持を許さないという暗黙のシステムが張り巡らされていく。プーチンも金正日も習近平も、形だけだったとしても、「高支持率」を保ち、それが自らの政権基盤となっているはずです。しかし岸田政権はそうではありません。支持率の急落は危険水域に入ったと報じられながら、支持率が下がれば下がるほどどんどん独裁化していく。逆にもう怖いものはないとばかり、民意にも、自公の与党政治家の意向にも、全く耳を貸さないまま独走する。

原発再稼働の突然の決定。防衛費の増大とそのための重税政策。あっというまに安全保障環境を変えてしまいました。「戦争のできる国」、とはよく言われるセリフですが、そんな言い方では曖昧で手ぬるいと私は感じます。おそらくはバイデン＝アメリカ大統領の強い要請のもと、いま岸田政権が推し進めようとしているのは「日本国全土の沖縄化」です。ここには二つの意味があります。

一つは、今、本土にある米軍基地のみならず、自衛隊の基地ともども米軍の指揮下に置くこと。台湾有事をちらつかせながら、日本全体を沖縄のように軍事基地化し、即応態勢を進めていくこと。実際に有事の可能性がどれくらいかにはかかわりなく、日米共同という名の下で米軍の指揮と管理を徹底させること。要するに、日米地位協定のいっそうの具体化です。

二つ目は、沖縄の基地問題にたいしてこれまでの政権がそうだったように、民意と合理的手続きに対して、無視と黙殺を常態化させることです。あるいは暴力的な弾圧。極論すれば、基地問題をめぐる沖縄の戦後七五年は、民主主義などないにひとしいものでした。民意は無視され、あるいは弾圧され続けてきました。私は以前「沖縄の現在の姿は日本の将来の姿である」と書いたことがあるのですが、まさにそのような事態が本格的に始まっていく。それが「戦争ができる国」ということの意味です。

「危険水域」に入ったといわれる低支持率のなかで、なぜこれほど唯我独尊的な政策推進が可能なのか。現政権にとって支持率とか民意とか国民の声とか、何ら影響を及ぼすものではない、聴く耳はないということの意思表明です。低支持率になるほど、政権運営はむしろ安定化するようなのです。

着眼を換えるならば「ソフト化した独裁政権」が、今の岸田政権の本質です。安倍元総理の「嘘・ライアー」はまだ実質がありました。その結果、トランプ前大統領と同様の、見えやすい混乱（インフォカリプス）を引き起こしました。だからこそ、反安倍陣営にいる国民からは糾弾を受け続けたわけです。ところが岸田政権にはそのような「嘘・ライアー」はありません。地道に、誠実に政権運営を進めているムードをつくりながら、いつのまにかそれが独裁化の推進になっています。

村瀬さんが、妄想にしてもそれは悲観的すぎると苦笑しておられる姿が浮かびますが、なぜこんなことが可能になるのでしょうか。『ストーリーが世界を滅ぼす』で紹介したポスト・トゥルース時代の本質が、現政権のありかたのなかに、ものの見事に現れているゆえではないか。ソフトな独裁化。有無を言わせぬ美辞麗句。これこそが「新しい戦前」の姿ではないか。そんなことをお伝えしたくて、床屋政談をつい全開させてしまった次第です。

(10) オウム真理教の〝二元構造〟と、統一教会の〝入れ子構造〟

次は統一教会問題についてさらなる妄説を述べたいのですが、もう少しお付き合いください。

第一に、岸信介時代に端を発し、東アジアの戦後史全体が再検証されなくてならないような、それほど重大な出来事をあの銃撃事件は明るみに出しました。大手メディアは触れないのですが、それが安倍氏銃撃事件の最大のトピックであり、本質だったと私は理解しています。沖縄問題が

「『見たくない現実』の戦後史」だったとするならば、統一教会問題は、政権を担っていた政党が長きに渡って国民を欺き続け、じつは日本国は、反日カルトに侵食された「二重底」の社会構造になっていた、そういう「『欺かれてきた現実』の戦後史」です。繰り返しますが、それが統一教会問題の最大の本質ではないかと思います。

軍事や安全保障では、アメリカの属国状態に置かれてきました。政治では、反日を教義とする教団に組織的な侵食を受け続けてきました。しかも「美しい国への愛国心」を鼓舞し続けてきた政党の、その中枢で起こっていたことです。それこそフェイクもいいところです。それなのに抗議の大規模デモが起こるわけでもない。こんな国民など、世界のどこをさがしてもないでしょう。

私は、ナショナル・アイデンティティは希薄な方だと自覚しているのですが、それでもかなり強い屈辱感が湧くのを抑えきれません。このことで、ナショナリズムを鼓舞させたり、在日ヘイトを増長させたりしては元も子もないのですが、メディアにも国民にも、怒りが足りないように思えて仕方がありません。統一教会についていえば、かつてのオウム真理教に匹敵するほどの（ある意味ではそれ以上の）害毒を、この国に与え続けてきたと私は受け止めています。

高度経済成長とともに新新宗教が一気にブームとなり、バブルの破綻とともに、オウム真理教も壊滅・自壊という事態が起きました。宗教の流行現象も、それをきっかけに冷め切っていきました。統一教会はその間、姿をひそめながら政権の中枢に食い込み、いつの間にか自民党と双頭の鷲のような存在になっていました。そして様々な事実が明らかになったことと時を同じくして、

「新しい戦前」が露出することになったわけです。バブル期のまさにバブリーなカルトのオウム真理教と、分断社会のディープフェイクそのものを体現する疑似宗教の統一教会。

以下は、両者の比較についての簡単なスケッチです。オウム真理教事件とは、ひとことで言えば、教祖麻原の脳内世界が外部世界へと露出してきた、その結果もたらされた各種の事件でした。ヨーガ、原始仏教、密教、最終解脱者、超能力者、救済としてのポア、終末論、ユダヤ陰謀論、サリンによる国家転覆など、その虚構（妄想）を作る数多くのキーワードはあるのですが、要は麻原彰晃の妄想と欲望の具現化です。幹部信者たちはその実行者だったわけであり、ここでの図式は「現実／麻原の脳内世界」という二元論的理解が可能です。

ところが、統一教会問題はこうした二元論的理解が通用しません。文鮮明（統一教会の教義とされるもの）と、文鮮明に呼応した、岸信介や戦後間もない右翼の巨魁たち、そしてＣＩＡをふくむ、戦後東アジアにおける反共体制を画策したメンバーたち。さらに、それから半世紀以上を経た、現代の統一教会と選挙協力の思惑を持った安倍晋三の共闘体制。臆面もなくそこに群がる票目当ての自民党議員たち。さらには山上徹也容疑者をはじめとする、「宗教二世」と呼ばれる被害者たち。こんなふうに、統一教会問題では中心軸が多極化しています。どこに光を当てるかによって、様々な戦後史が現れてきます。それこそ入れ子構造になって関連し合っています。

オウム真理教では、高弟の信者たちの手記のテーマはすべて麻原に収斂していきますし、数多くの事件についても、法的な問題はともかくとしても司令塔にいるのは教祖麻原です。その麻原をはじめ、幹部信者たちは死刑に処されました。一方、献金の収奪や家族関係の崩壊、合同結婚式における人権侵害の問題など、もちろん主犯は統一教会なのですが、巧妙なかたちで自民党政権が加担しています。そして政治家たちの誰もが、何事もなかったかのようにその職に居座りつづけています。

そのことをとても象徴的に表していたのが、一月二三日の日付で、首相官邸のホームページに掲載された、岸田首相の、第二一一回施政方針演説でした。ここには、統一教会という文言は一言も出てきません。そのような問題などあたかも解決済みでもあるかのように、いや、そのような問題など、そもそも存在しなかったが如くの演説内容となっています。まさに「見たくないものの見ない。見ないものは存在しない」です。施政方針演説それ自体が、壮大なディープフェイクのようです。

今年の夏には解散命令が出されるのではないかという情報もありますが、鈴木エイト氏は、それでも解決にはいたらないだろうと警鐘を鳴らしています。私もその通りだと思います。岸田政権にふさわしい、穴だらけの解散命令になるだろうと。

＊

拙著（『津久井やまゆり園「優生テロ」事件、その深層とその後』）刊行後に感じ取った、取材と情報をめぐる問題から書き始め、『ストーリーは世界を滅ぼす』を参照しながら「ポスト・トゥルースの時代」のなんであるかをスケッチしました。その特徴を最もよく兼ね備えているのが、わが日本国の現在ではないか。そのようにつなげ、現行の岸田政権と統一教会問題が象徴的事例となっていると見立てました。床屋政談と妄想の度が過ぎるのではないかという危惧をもちつつも、村瀬さんの世界史が「兵士」というアイテムで論を駆動させていたことに倣い、私の現代史は「ポスト・トゥルース」という語にそれを託したわけです。

もう一つ、双方の論考が双方の「図と地」になるような、そんなコントラストを演出できないかという目論見もあったのですが、どこまでうまくいったでしょうか。心配は尽きませんが、ここで筆を擱くことにします。

（二〇二三年一月二七日）

Ⅲ　追悼・小浜逸郎

〔第五信〕村瀬　学

「エロス身体」と「季節体」の近さについて
――小浜逸郎さんの核心の思いの方へ

(1)　庭の花

「つい先ごろ、庭に名前のわからないきれいな花が二種類咲いているので、どうしてもその名を知りたくなって、「Green Snap」というアプリに助けを求めました。」という書き出しで小浜逸郎さんの『日本語は哲学する言語である』（徳間書店、二〇一八年）の「あとがき」が始まっています。今度小浜さんのことで何かを書きたいと思っていたときに、この「あとがき」を思い出しています。この一行の書き方は、ちょっと変わっていて、およそ小浜さんらしくないなあとなぜか感じていたからです。想像できますか？　小浜さんが庭にしゃがみ込んで、草花を見、牧野富太郎みたいに「おまんの名前が知りたいがや」などと話しかけている姿が。でも、この光景が一九七〇年代を青年期として生きてきたわたしたちの、その後のある象徴的な場面のように感じるところがありました。自分の「庭」にどこからか飛んできた種が、意図せずに咲かせた花に気が付くという光景。

小浜さんのデビュー作は『太宰治の場所』（弓立社、一九八一年）でしたが、その太宰に「庭」（一九四六）という短編があります。敗戦の翌年に書かれた小品です。東京の空襲を逃れ、兄の住む青森の実家に一家四人で疎開するのですが、その兄の庭で、草むしりをする話です。「庭」は「一本の草」もないようにきれいにしておきたいものだと兄は言い、主人公は「草ぼうぼうの廃園もきらいではない」と思っている話で、言ってみればただそれだけの話です。この「庭」と「草」についてはいろいろと解釈は可能ですが、今回の便りでは、小浜さんの「庭」のことを少し考えて見たいと思っています。広い庭（アカデミズム）に対抗して、自分の「庭」を作り上げようとしていた小浜さんの「庭」の「花」について。

たぶん「花」について知りたいというのではなく、「自分の庭」に咲いた花のことを知りたいと思うこと、そういうあり方を「問う」ことが、求められる時代にわたしたちはいたのではないかと。小浜さんは、「花の名前」を知りたくて調べたようなことを書かれていましたが、その「調べたい」というその動機の中身については、わたし自身と共有できるところがあるのではないかと思っています。

(2)「エロス的身体」への着目と「死」への関心

小浜さんは、あるときから「エロス論」に深く注目することになります。もちろん、同時代的には「身体」論や「エロス」論が流行していたときでもありますから、そういう思潮に刺激されていたことは、考えやすいところです。しかし、彼の名づけた「エロス身体」は、その後、彼が「西洋哲学」と呼ぶものと対峙するための重要な視座となるものでした。

なぜそういう風になってゆくのかを、ここで緻密に追うことはできませんが、わたしなりの関心事に引き付けて「説明」を求められるとするならば、それは彼が「エロス身体」という言い方で言い当てようとしていたものが、何かしらの「循環性」「周期性」を基調にしているものへの注目だったということです。わたしなら、「エロス身体」とは「季節体」(『吉本隆明　忘れられた「詩的大陸」へ』言視舎、二〇二三年のなかで展開している中心的な論)のことだと言ってしまうところですが、彼は早い時期からそういう周期的存在の独自のあり方を「エロス身体」と呼び注目していました。そしてその対極に彼が「西洋哲学」と呼ぶ、「論理」や「精神」の、循環しない直線の幾何学的な世界を見定めていたように思われます。このような幾何学的、論理的な世界観に対して、エロス身体の世界観を対置できたと感じたとき、小浜さんは多くの「西洋思潮」と戦えることを確信できたのではないかとわたしなどは感じています。

ところで「エロス身体」を「季節体」として見た時にはっきり見えてくるのは、「死」への関心です。小浜さんは何冊も「死」をテーマにした本を書いているのですが、それもちょっと他の批評家には見られないほどのこだわり方で「死」についての書き物を残しています。このこだわりがどこから来ているのか、たぶん多くの読者は気になっていたと思います。小浜さん自身も、そういう理解を示す先行者のことは気になっていて、「エロス」を「死」と結びつけて考えていたバタイユの思想もよく調べては引用していました。しかし、バタイユを調べても、「エロス」と「死」の関わりについて、「理屈」はわかっても実感出来る考え方は得られないのではないかとわたし自身の経験から感じます。

というのも「エロス」と「死」の問題は、基本的には「季節体」が抱える周期的存在の問題であって、バタイユのように「季節体」へ理解を深めてゆかない西洋の論理で説明しようとしても手応えが薄かったからです。そもそも「季節体」にとっては、「エロス」と「死」は、当たり前のようにしてあるもので、自らが死にゆくものであるがゆえに、「エロス・性」を通して子孫を残そうとしてきたわけですから。「季節体」のそういう側面を意識するなら、「エロス身体」を考えることは、当然「死」を考えざるを得なくなることは、自然なことのように思われます。

でも「季節体」を考えない西洋の思想史の中で「死」を考えるとなると、それは「精神」の中の出来事として「死」を考えることになり、小浜さんには、ハイディガーの死についての考えが、よく考えられた死のように感じられていたのは当然のように思われます。しかしながら「季節体にとっての死」と「精神が考える死」は違ってありました。

小浜さんが死の考察とともに、殺人についての考察を深めてゆくのもそこからでした。『なぜ人を殺してはいけないのか』は、よく考えられた論考でしたので、その核心の部分に触れてみたいのですが、その考察に入る前に、そのことに関わる「ことば」や「言語」の問題に先に触れておきたいと思います。

(3)「言語」へのこだわり

小浜さんの言語へのこだわりは、『日本語は哲学する言語である』に見られるように、「日本語文法」に取り組んだ本格的なものでした。わたしなどは、細かな文法用語は生理的に受け付けられないところがあるのですが、小浜さんは主だった文法論に広く目配せをしながら、手の込んだ文法用語を自分の手足のように使いこなし、言語の分析を試み、そこに小浜さんの考える文法理解を対峙させていました。その努力の全体に、理解を示すことはとうていできませんが、ただ不思議なことはいつも感じてきました。それは文法理解の世界は、細かくされればされるほど、よく分からなくなるのに、文法用語の一つすらも理解していない幼稚園児でも、りっぱに日常のおしゃべりをこなしているという事実についてです。

「ことばを生きること」と「ことばを理解する」ことは違っているんですね。そのことを理解するには、結局は、ことばとは何かの根本の理解が問題になってきます。そうすると、幼稚園児でも「わかっている」ものとしての「ことば」のあり方は、ある意味では、ことばを、食べたり、排泄したり、服を着たり、布団で寝たりという、暮らしに欠かせない衣食住の仕組みのようにしてあるものという理解に行き着きます。ことばは、食べもののようであり、排泄物のようなものであり、着物のようなものであり、住処のようなものであり……というような性質を持っているところがあるのです。そこに「ことばの謎」があったのではないかと。

でも文法学者は、当然そういうふうにことばの説明はいたしません。ことばは食べもののようだとか、ウンコのようなものだとか、服や布団のようなものだと言えば、笑われてしまいます（ハイディガーは、ことばを建物や住処に例えていたよと言われそうですが、パンやウンコには例えなかったでしょう）。文法学者の言い分は、どうしても、ことばを言語規範（ラング）だとか、おしゃべり（パロール）だとか、「詞－辞」でできているとか、「主語－述語」でできているとか、そういうふうに考えるところからしか始められなかったからです。

そして小浜さんも、言語の謎、ことばの謎を解くことが、最重要の課題であることは早くから意識されていたのですが、実はことばというものが、「精神」の産物でありつつ、もっと深いところで「エロス身体」の産物としてもあったことに気が付いていたからだと思います。でも「エロス身体」としてのことば、つまり「衣食住としてのことば」に思いを広げる前に亡くられたのではないかとわたしなんかは感じています。

そのことを端的に感じたのは、『日本語は哲学する言語である』の「第二章　日本語は世界をこのようにとらえる」の「1」で、「「いる－ある」の問題」というテーマを取り上げていたところです。このテーマはこれまでも多くの批評家が取り上げてきたもので、小浜さん自身もそれまで何度も取り上げてきたテーマでもありました。そこで、小浜さんは「日本語」には西洋と違って「いる」と「ある」の使い分けには独特なものがあると強調し、和辻哲郎の理解も紹介しながら、おおむね「いる」は人間（生きものも含めて）の存在の仕方につかわれ、「ある」は物の存在の仕方に使われるという理解を示していました。こういう理解は、実感としてもよく分かるところです。

(4) 方言の理解

でも、そういう理解は、均質な「日本語」が全土に行き渡っているようなイメージをまず前提に持たなくてはなりません。実際の「日本」にはさまざまな「地域語」がせめぎ合っているわけで、「いる‐ある」の区別も、地方によっては、全然違ったふうに理解されていることもあり得ます。

ちなみに言えば、中上健次は「紀州弁」というエッセイの中で（『鳥のように獣のように』所収）、紀州弁では、土方のような生き方をする者には、「いる」ではなく「ある」ということばを使うと書いていました。「なんな、そこにあったんか」と。標準語では「なんだ、そこに、いたのか」となるところを、「いる」ではなく「ある」を使うのだと。その方がより人間をリアルに捉えていると。

そうなると、「哲学」的に理解する「いる‐ある」の日本語の区別は普遍的なものではないという事になります。そのことを考え詰めると、文法学者がこだわる「言語規範（ラング）」と「おしゃべり（パロール）の区別や、「詞‐辞」の区別や、「主語‐述語」の区別なども、相対的なものにすぎないのではと思いたくなります。

ちなみに時枝誠記が吉本隆明『言語にとって美とはなにか』（勁草書房、一九六五年）を批判したときの視点は、「詞‐辞」に根本の二元論の区別を認めないで、品詞をバリエーションのように捉える一元論になっているというところでした（「詞辞論の立場から見た吉本理論」『吉本隆明をどうとらえるか』芳賀書店、一九七〇年）。一元論と二元論を対立させるのは、不毛な議論です。そもそも、ことばは、幼稚園児でもわかる仕組みになっているのですから、文法学者が独占的に説明するように「むずかしく」できているわけがないからです。

ことばは、基本的には先行する指示ことばに対して、同意するか、否定するかの判断を何重にも重ねて付け加え、お互いの立場をわかり合う工夫をしています。ことばは、お互いの立場を入れ替えながら、お互いの意志をわかりあう仕組みとしてできているものだからです。ことばの基本は、お互いの置かれている状況が、わかり合えるようにしているものなのです。幼稚園児が先生に聞かれています。

「痛いの?」「うん」

「ここ」「ううん」

「じゃあ、ここ」「うん」

言葉の生きられている状況がここにあります。でも「ううん」の品詞とは何か、とか、「ん」とはなんぞや、というようなことが文法的には気になるものです。しかし文法的なことはわからなくても、ここに同意や否定のやり取りがあって、それで十分にお互いの立場のわかるやり取りができているのがわかります。

お互いの立場・状況があって、それをわかりあおうとするやりとりがあって、その全体をことばと呼んでいるわけで、それは、主語や述語や動詞や助動詞に分けてうんぬんする言語学や文法学とは、また違っている次元です。それなのに、言葉の理解というと、なぜか言語学や文法学を学ぶことになっているのは不思議です。

小浜さんは『太宰治の場所』の「あとがき」で『斜陽』の次のような一節を引用していました。

　これから東京で生活して行くにはだね、コンチワア、という軽薄きわまる挨拶が平気で出来るようでなければ、とても駄目だね。（略）重厚？ 誠実？ ペッ、プッだ。生きて行けやしねえじゃないか。

「コンチワア」は、「お堅いあいさつ（コンニチワ）」を生きる立場にいる者とは別な立場にいる者の軽いことばです。「ペッ、プッだ」というさげすみの表出も、文法的（品詞的）にはどこにも位置づけられないものかもしれませんが、でも、ここでは言葉として十分に了解されているはずのものなのです。さらにいえば、「生きて行けやしねえじゃないか」は、「生きてゆく」という由緒正しい生き方をしている立場の者に対して、「生きて―行けや―しねえ―じゃ―ないか」という、何重もの肯定と否定を重ねてぶつけ、自分の置かれている不安定な立場を表出しています。でも、こういう表出を品詞に分解することで、この人の立場をわかったようになるわけではありません。聞く人は、連続する肯定、否定の話芸を聞くことで、一気に、この人の立場が了解できるところがあるからです。

朝ドラ『らんまん』では「なんちゃあないのじゃけに」という言い回しがしばしば語られていました。「なんということはないんだから」ということの方言だというのですが、方言の方が豊かな表出になっていることは聞いている方は誰でも分かります。「ちゃあ」という柔らかい肯定の言い方と、それを否定する「ない」を「じゃけに」と補足して伝える言い方。ここに「なんでもない」という簡素化された標準語が忘れてしまった肯定と否定の豊かな話芸が創出されています。

標準語、共通語の形成というのは、それぞれの「お国」で発達した肯定、否定の盛り合わせる豊かな話芸を、使用させなくする国家の意思の現れでもありました。

小浜さんは、一方で「エロス的身体」としてのことばを意識しつつ、言語学、文法学で扱われる言葉にも、精力的に理解を向けなくてはならなくなり、結果的には「エロス身体」として広がることばの全貌に関心を向けることが出来ないままに生涯を終えられたようにわたしなどは思っています。

ところで、少し話は変わるのですが、標準語とか共通語が形成されてゆくと、そういう「標準」「共通」という次元に反撥したり、それを否定したりするものが、ことさらに「方言」とか「風俗語」「若者言葉」と呼ばれ、特別な言葉のように見なす傾向が出てゆきました。昔であれば「お国なまり」のような言い方で肯定的に受け取られたたものが、小馬鹿にされるようなイメージで「方言」とか「○○弁」と見なされるようになってゆきました。

そのことと連動するところがあるとわたしなどは思っているのですが、この標準語、共通語が形成されてゆく中で、そういう「標準」「共通」に当たる人間像が、無意識のうちに「標準人間」「共通人間」というようなイメージとして作られていった過程があるのではないかと。そうすると、そういう「標準」や「共通」の次元に至らない人々は、なにやら「標準でない人間」「共通でない人間」ということで、「人間失格」のように見なされることが起こり始めていたのではないかと。まるで「人間には至らない人間」「人間の外の人間」がいるかのようなイメージが(今で言えば「発達障害」が増えているというような言説。「方言的な生き方」が「障害」のように見なされる時代)。小浜さんが『太宰治の場所』から批評活動をはじめたのは、けっして偶然ではなかったはずだと思います。

(5) 方言の中の『歎異抄』

小浜さんは『吉本隆明』（筑摩書房、一九九九年）の中で、吉本さんの親鸞観を手厳しく批判していて興味深いものがあるのですが、ここでは親鸞の『歎異抄』が、そもそもどのように伝達されているものであるかについて、触れておきたいと思います。ここに抜粋したのは、遠くから親鸞の教えを聞こうとやってきた人たちの労をねぎらった後に、親鸞が語ったことばとされる場面（二）です。そもそも『歎異抄』は、唯円が親鸞のことばを書き写したものとされているわけですが、標準語、共通語のない時代に、京都生まれの親鸞が関西方言を使っていたかもしれないのに、原文は書き言葉で写し取られています。そしてそれを後の人はさまざまな標準語に「翻訳」しています。なお原文は漢字とカタカナ書きです。

各々、十余ケ国の境を越えて、身命《しんみょう》を顧みずして、尋《たづ》ね来らしめ給ふ御志（おんこころざし）、偏《ひと》へに、往生極楽の道を問ひ訊《き》かんがためなり。しかるに、念仏より外に往生の道をも存知し、また、法文等をも知りたるらんと、心にくく思《おぼ》し召《め》しておはしまして侍《はんべ》らんは、大きなる誤りなり。

（『新編　日本古典文学全集　44』小学館、一九九五年）

皆さま方が十余ケ国の境をこえて、遠い坂東の地から身命のほどをかえりみずに、この京の地に訪ねてこられたお志は、ひたすら極楽に往生する方法を問い聞こうとされてのことでしょう。それなのにわたしが念仏よりほかに往生の方法をも知っており、またひそかな法文などをも知っているにちがいないなどと推量して、そのところを知りたいなどおかんがえであるならば、たいへんなお間違いです。（吉本隆明訳『親鸞のことば』中公文庫、二〇〇九年）

みなさま方、それぞれ十余カ国もの国境を越えて、命も捨てる覚悟ではるばる訪ねていらっしゃいました、その強いご意志の目的は、ひたすら往生極楽の道をこの親鸞に問い質《ただ》そうというところにあるのですね。でも、もし、わたくしが念仏以外の往生の道やお経の章なども知っていて、それを教わりたいものだと殊勝《しゅしょう》にもお考えになっているのだとすれば、それはまったくの誤解です。（小浜逸郎訳『［新訳］歎異抄』ＰＨＰ研究所、二〇一二年）

おうおう、みなさんは、常陸の国から十いくつもの国の境目を越えて、こんな遠くによう来なはったのう。身のわずらいや命のさわりも、ものともせんで、この愚禿親鸞のところへ来なはったのは、ただただ、一途に極楽往生の道を聞こうと思うてのことやろなあ。そやけどなあ、ワテが、「ナンマンダブ」の念仏の道以外に、往生（永遠に極楽にいることや）はどないしてやるんか、あるいは、ありがたいお経の文句や秘密の教えなんかも知っとるんやないかと、そないに思うていやはるんやったら、そりゃあ、ごっつう間違うとるといわずにはおられまへん。（川村湊訳『歎異抄』光文社文庫、二〇〇九年）

長い引用でお許しください。でもこれはただの引用ではなく、「ことば」「言葉」「言語」「親鸞の言葉」などと呼ばれてきたものが、実はそんなにはっきりしているものではない事をお示ししたいがためのものでした。そしてそこには「仏の教え」「仏のことば」と言われるものが、インドのことば、中国の漢字をへて、日本のことばに「翻訳」されてきた過程があり、実は「どの国のことば」「誰のことば」をもって「仏のことば」といっているのかも、よくはわからないところがあるんですね。最後に引用した川村湊訳『歎異抄』などは、きっとなんじゃこれとか、ふざけているのかと思われるかも知れませんし、こんな方言で訳すことに何の意味があるのかと眉をひそめられるかも知れませんが、しかし実はわたしなどは、あらゆることばは「方言」なのだと思っているところがありますから、川村湊訳『歎異抄』も、考えるべきものを提供していると思っています。

そうなると、方言とは何かと言うことになります。それはたぶん「先行する共同の指示」に対して「肯定と否定を織り交ぜて応じる話芸」あるいは「同意と打ち消しを盛り合わせる話芸」と言うことになります。そのことを考えると、川村訳の「ありがたいお経の文句や秘密の教えなんかも知っとるんやないかと、そないに思うていやはるんやったら、そりゃあ、ごっつう間違うとるといわずにはおられまへん。」という言い方の方が、聖典（先行する共同の指示）に対して、やんわりと「同意と打ち消しを盛り合わせる話芸」で対応している姿として、現実の人間の姿を表しているようでなごみます。そのことを踏まえて、吉本隆明訳、小浜逸郎訳を読むと、何かしら田舎からやってきた人に対して、妙に現実離れをした上品な対応の仕方を共にしていることがわかります。太宰治をもじっていうなら、

こんな戦乱の世の中で生きてゆくんなら、ナンマイダブ、という軽薄きわまる一言を平気で言えるようでなきゃ、とても駄目だね。重厚?誠実?ペッ、プッだ。生きて行けやしねえじゃないか。

(6) なぜ「死」を考え「殺人」までゆくことが起こるのか

ここから、先に予告しておりました、小浜さんの「死」や「人を殺す」ということへの批判的な批評について、改めて触れてみたいと思います。中でも、注目したいのは、小浜さんならではの『人はなぜ死ななければならないのか』(洋泉社、二〇〇七年。特に四章は必読です)というような問いの立て方の書き物です。このようなタイトルの本を書いた人はたぶん彼だけではないでしょうか。たいていの人は、『なぜ人は生きるのか』(トルストイ)とか、『君たちはどう生きるか』(吉野源三郎)とか『死なないでいる理由』(鷲田清一)とか、そういうタイトルを本につけるもので、またそういうタイトルの本しか多くの読者は買い求めないのではないかと思われるからです。

しかしあえて、小浜さんは、「死」の問題を「死ななければならない」という、奇妙な、それでいてすごく真っ当な問いを立てる位置に立つようになってゆかれたのか、そのことを考えてお

きたいと思います。

改めて言うことになるのですが、この「なぜ死ななければならないのか」という問いは、「エロス身体」を考えるところから発せられる問いだということです。すでに少し言及していましたように、小浜さんの言う「エロス身体」が、「季節体」であるとするなら、季節体はあらゆる細胞の日々の死を新生の細胞に入れ替えながら、絶えざる死と生の入れ替えの仕組みを周期性として生きていて、それが「心」という意識の仕組みにも反映されていて、常に「心」もどこかで「死」を「生」に結びつけるような動きをとるものとしてあったということです。

小浜さんの「エロス身体」観が優れているのは、それを個体の現象というか、個体の出来事として考えていないところでした。ふつうに「エロス」と言えば「性」のイメージが強くあり、男女の性愛としてイメージされやすいものですが、彼はこの「エロス」を「エロス的関係」と言い換え、「社会的関係」に対比させ、家族の中で相互関係をはぐくむ活動としてとらえていました。後の彼が構築しようとする「倫理学」の核心の部分も、この「相互関係を生きる存在」を中心に据える理論でした。今回はそこまでは触れませんが、その「相互関係を生きる存在」の土台が「エロス関係」に置かれていたところは見逃してはいけないところだと思います。

そしてさらに言えば、小浜さんが、「相互関係としての存在」を家族のあり方から導き出そうとしたのは、彼が育ってきた特異な家族史とその家族体験が背景にあったからだという気がしています。『時の黙示』という「自伝」を読めば、「相互関係が築きにくかった家族」のあり方が苦しいほどに回想されていて、そういうことの影響がより一層「相互関係としての家族」の大事さを考えることになっていたのではないかという気がします。そのことは、今後彼を研究する方が、よく考察してくださるところだと思います。

今回は小浜さんが主張されるとおりのことを前提にして、話を進めたいと思います。それは「家族」が「相互関係を体験する場」として、つまり「相互関係を育む場」として体験されていないと、その人が青年になり、成人してゆくときに、周りの人々との「相互関係」を結ぶことが難しくなるのではないかという仮説です。

彼はどこかで池田小事件の宅間守について、死刑になることを拒まない（つまり生きることに望みを持たない）覚悟のようなもの、激しい生への嫌悪感のようなものがあったのではと書き、そういう感覚は彼の生育史、家族史の中で培われていったものではないかと書いていたように覚えています。そういう家族史の核心の部分を「虚無感」と呼べば、彼が『人はなぜ死ななければならないのか』の中で「内的に抱いた虚無感には外からの慰めは役に立たない」と書いていたことと連動しているように思えます。

もちろん宅間守の起こした事件は、複雑怪奇で、佐藤さんが編集された『『宅間守　精神鑑定書』を読む』（言視舎、二〇一四年）を読むだけでも、簡単な理解を許さないものがあるのはよく分かりますが、それでも宅間の家族史に対して、小浜さんが「相互関係の実感」を持ちにくい者として育っていったと指摘されることは、外れていないのでないかとも思います。

(7) 家族がなぜ「相互関係を育む場」になるのか

家族が「エロス関係」であり、同時に「相互関係を育む場」であるという理解を示すことは、家族関係に「対幻想」を見て取ろうとした吉本隆明さんとは、ずいぶん違った理解を示そうとしていたと思います。「対」とか「性」というような、一個体の交わりではなく、「相互関係」というような「やり取り」を求める場と考えるなら、その家族は、別に男女でなくても、女同士、男同士でもいいし、どのような組み合わせの家族でもいいということになります。「社会関係」では得られない「相互関係」の育む場であれば、それは「家族」と呼ばれるべきで、そこの強調には、家族を否定的に語るフェミズムと徹底的に闘おうとした小浜さんの譲れない位置があったと思います。

ではその「相互理解」とはどういう理解をすればいいのかということです。たぶんその源流にはクロポトキンの『相互扶助論』『相互扶助再論』(同時代社)のようなものがあり、小浜さんの試みは、その系譜に入るものだとわたしなどは思うのですが、発想の違うところは、その「相互関係」「相互扶助」の基本を「死を生に結び直す」仕組みとして考えようとしていたところだと思います。そしてそれは実際にはどういうものかということです。

日常の暮らしの中では、暮らし合う者同士の間で、あれをして、これをしようという、さまざまな提示、提案が出されます。その提示に従えば同意です。でもその提示を認めないときも出てきます。その時にはその提示を拒み、同意しないという態度が出てきます。「やり取り」ということが発生するのはそういう場面からなのですが、もしその提示が、断じて同意できないもの、承服のできないものであったとして、それでもそれに従うことになれば、それは同意ではなく屈服であり、隷属であり、屈辱となります。でもそこで、同意しなければ両者の関係は対立し、それがさらに進めば関係が切れてしまうことになります。それは「関係の死」ということを意味することになるでしょう。

問題は、そういう「関係の切れ」「関係の死」が起こった時に、早くに関係の修復が試みられるかということです。それが「相互関係の育み」ということになるのですが、そういう関係の修復を体験する場が「エロス関係」であり「家族関係」だと小浜さんはずっと考えてこられたと思います。

そこから考えると、宅間守や永山則夫や植松聖の家族史は、壮絶なもので、およそ「相互関係を育む場」としては体験されていなかったのではないかと思われます。その結果、社会に出て就職したときに、仕事や人間関係で「提示」されるものに、承服できないときや、関係が切れても、修復するコツやすべをつくることがうまくできてゆかなかったのではないか。『飢餓陣営』という雑誌が精力的に関わってこられたのは、そういう関係の修復に不器用だった人たちの人生だったとわたしなどは感じています。

クロポトキンは、早くから動物たちが「相互扶助」を生きていることを指摘していました。社会関係が「生存競争」であるとしたら、動物たちが「相互扶助」の関係を生きていることは彼にはとても不思議に見えていて、そのあり方はもっと研究されるべきだと訴えてきていました。「相互関係」とは、危うくなる関係を絶えず修復してゆく関係作りのことなのですが、それは、「死」を「再生」に結びつける活動と言えば言えると思います。

わたしの好きなことわざに「後の雁が先になり」というのがあります。解釈によっては「部下が先輩を追い抜いて出世する」というような説明ですませているものがありますが、これは実際の雁の渡りで、くの字型になって飛ぶ雁の先頭の雁が疲れたら、後の雁が先頭に変わるという現実の相互関係のあり方を言っているものでした。選手交代です。季節体という「エロス身体」は、基本的には日々「選手交代」の仕組みを生きているものです。その仕組みが「家族」の関係では生かされ実践されていると小浜さんは考えていたと思います。ある時はピッチャーをし、ある時は外野を守り、あるときにはベンチに退き……。でも「選手交代」が出来ない家族では、誰かが酒を飲んで命令し始めたら、それに隷属するしか許されなくて、逆らえば暴力でも服従させられるということになり、そういう場で育つと、自分の中に「選手交代」して生きるというイメージ自体が実感としてもちにくくなるような気がします。そこから、提示されたものへの反感が起こると、それを和らげる手立てが見出せなくなる……。小浜さんが「内的に抱いた虚無感には外からの慰めは役に立たない」と書いたことが思い出されるところです。

(8) なぜ「エロス関係」が言語に関わるのか——「方言」を考えるために

ところで、小浜さんは「エロス関係」が言語を創り出したとも書いていましたし、その方向でよく考えてこられたと思います。それは、言葉の本質を、音や音響に求めていたところによく現れています。そもそも音は、離れている仲間にも伝えることでき、きわめて相互関係をつくりやすいものだったからです。人間に限らず、多くの生き物は、音や音波、振動のような波を通して、相互の位置や意図を伝達し交換していることは、よく知られてきたところです。

ただここでは、人間のことばを、「音」に還元しすぎると、生きもののことばとの区別がつけにくくなりますから、少し視点を変えて人間のことばの特質を見てみたいと思います。その特質とは、今まで何度も見てきた「方言」というあり方を考えるところからです。

方言の特質は、すでに触れてはきていますが、改めて簡単にして言ってしまうなら、相手の提示したものに、いったん同意しているように見せかけて、その提示を巧みに打ち消しながら、こちら側の意志をちゃっかりと提示する仕組みを創り出す話芸という理解でした。

だから昔の隣り合う村々、国々で、お互いの利害がぶつかり合う時、そのままぶつかればお互いの争いになると思われた時、いったん相手の提示に同意するかのようなそぶりを見せながら、やんわりとその提示の打ち消しを図りつつ、自分の側の意図を提示するような、手の込んだ言い回しを作ることを考えてゆきました。その結果、「方言」には、相手の立場を考慮しつつ自分の立場も提示するという、相互性に富んだ提示の交換可能な話芸が作り出されていったと思われます。

たとえば昔の京の都は、全国から方言を持った人たちが集まる場所なので、地方の人々の提示するものを、まずは拒否しないで受け止め、その後で京都人の意志を示すような、とても遠回りして返事をする話芸が発達していった方言だと思われます。たとえば、

「水飴ってありますでっしゃろ」

という京都弁は、標準語では「水飴があるよね」ということを言っているものです。この京都弁の言い方を分解すると「水飴って・あります・でっ・しゃ・ろ」となります。要件は、「水飴がある」ということを提示しているだけのことなのですが、その提示を「ある」と言うだけではきつく提示しているように相手に聞こえるので、「あります」というふうに丁寧に言い換え、それからその提示を「だ（でっ）」で確定するかのように見せかけ、でもその確定にも強い断定の感じを持たせないように「でしょう（しゃろ）」と疑問風のニュアンスをつけて相手にこちらの意志を伝えようとしているところが見られます。そういう断定の和らげの盛り合わせの話芸が京都弁なのですが、こういうお互いの提示し合うものを柔らかく伝え合うという話芸は、あらゆる方言には豊かに見られます。

すでに紹介していました土佐の方言の「なんちゃぁないのじゃけ（なんでもないですから）」「ゆっちょりますけに（言ってますから）」なども、聞いていて耳に心地よいものです。こうした京都弁にしろ、土佐弁にしろ、その話芸の細かなところは大きく違っているのですが、一つ共通して

いるところが見られます。それは「っ」「ゃ」「ぁ」など、文にすれば小文字と呼ばれる発音（それを促音《そくおん》と言いますが）や、「きゃ」「しゅ」「ちょ」などのちょっとねじったような音（それは拗音《ようおん》といいます）や、「ん」という言い方（撥音《はつおん》といいます）などを、非常にたくさん使うというところに見られます。これはどういうことかというと、小浜さんが、ことばは「音」だと言っていたことに関わるのですが、発音に「促音」や「拗音」「撥音」をいれることで、会話そのものをとてもリズミカルなものにしているんですね。そのリズミカルな心地よさで、相手の意志と自分の意志の、安全な相互交換を図るような工夫がなされている感じなのです。

そのことを考えると標準語とか共通語との成立過程には、話し言葉から極力「促音」や「拗音」「撥音」を無くすような過程だったように思います。しかし、「促音」「拗音」「撥音」の入らない言葉は、キレイで分かりやすいものになっているのですが、それは均等な拍子に支えられた、平坦な感じのことばの交換になるもので、そんな会話の中で、本気で怒ったり文句を言おうとするときには、きっと方言が自然に出てしまうのではないかとわたしなどには思われます。

でもここでなぜ長々と「方言」のことに触れているのかというと、小浜さんの言う家族がエロス関係で支えられ、そのエロス関係が相互関係の別名でもあると言うとき、その相互関係の日常の実現は、日常の言葉のやり取りの中で実現されているものでなければならなかったはずだからです。そういう日常の中での相互関係の実現のために、それぞれの地方で多くの方言が産み出されてきた過程を考えると、じつは家庭の中でも、言葉のやり取りはとても大事な交互性実現の手段であったと思われるからです。

しかし家族が相互性実現の場として機能していなければ、そこにはやり取りとして言葉が体感できずに過ごすことになり、そのために社会に出たとき、提示されたものの強さやきつさに対して、やり取りする言葉を見つけることができず、ことばの代わりに暴力で反応してきていたことがたぶんにあったのではないでしょうか。小浜さんが、「死」や「殺人」にこだわるのは、「事件」としてだけではなく、切れる関係を相互性に持ち込めなかった人々の、苦悩を考えるためでした。

(9) 再び「わが庭」について

そしてここに来て、最初の小浜さんの「庭に咲く花」に戻ることになります。人は誰でも、「世間の庭」で暮らしつつ、その中で小さくても「わが庭」を持って生きています。ベランダのような小さな場所でも、「わが庭」になるものです。そこで花を育てる人は、まさに季節体としての「エロス身体」を育てることになっています。というか、「わが庭」とは、「エロス身体」の別名でもあったと思います。水をやり、光を当て、相互性を生きるものとして花を育てるということ、それは「衣食住としてのからだ」を育てることであり、今年の夏にはその花は枯れて「死」がおとずれると分かっていながら、育てることになっているものでした。

小浜さんは、生涯を掛けて、その「わが庭」を大事にする思考を育てようとされていたと思います。彼は、生涯にわたりたくさんの論敵に挑んできたわけですが、戦いの基準は、相手が「わが庭」を大事して語っているのか、という所であったように思います。とりわけ、西洋の流行思潮を語る人たちの「カタカナ業界用語」は、「庭」に根付かない、根を持たない造花のように見えていたのではないでしょうか。

もちろん、家族を「相互性を生きる砦」と見なしてきた小浜さんにとって、あるときから、その「家族」の極北に「皇室」があるかのような発言がはじまり、そういう「聖家族」観になじめない人たちとの関係を疎遠にすることも起こっていたと思いますが、わたしには、それは彼の「家族」のあり方への特異なこだわりから始まっていたのではないかという気がしています。

最後に、小浜さんのコロナワクチンへの激しい拒否のことにも、少し感想を佐藤さんにお伝えしておきたいと思います。小浜さんはコロナ感染が拡大し始めた頃から、アメリカなどの医学誌の批評を参照にしたワクチン接種への批判を展開していました。とくに国民には知らされずに進められていた医学界と薬剤業界の、複雑怪奇な利害関係の中で決定されていたコロナワクチン国民全員接種への動きには、小浜さんははじめから大変否定的でした。そのことに何か感想を言える見解を私は持っているわけではないのですが、一点だけ分かるところがあります。それは、コロナウイルスは生き物であり、別な生体を借りて生殖活動をする「エロス身体」だったというところです。その「ウイルス／エロス身体」が、生殖を求めて「わが庭」にもやってきたというわけです。

強引に「わが庭」に入り込み、強引に生殖を果たそうというのですから、失礼千万な奴らです。

でも健康な「わが庭」を生きる人たちによっては、少しだけ「庭」を貸してあげ、少しの生殖を許すだけで「両者一時共存で」終わることがほとんどなのですが、健康でない人の「庭」に入り込み、強引に生殖をすると、過剰にウイルスを増殖させることになり、その「庭」全体の活動に悪影響をあえますし、時には死をもたらすことも起こりました。そこで「ワクチン」の接種となるわけですが、ワクチンとは制御された少量のウイルスを先に「わが庭」に植え付け、後からやってくるウイルスの生殖の邪魔をさせる（免疫をつくるともいいますが）というものでした。こういう医療は十分に根拠のあるものですが、「わが庭」の多様性を無視して、すべての「庭」に強制されていいものではないことは、もちろん医学界でもよく分かっていることでしたが、「国民全員に」が優先され、弊害を起こす人たちが出ていたことも事実でした。小浜さんの警告は、そういう時代背景の中で発せられていたものですが、健康な「わが庭」を生きる人への接種や、接種そのものの考えを否定するような発言をされていた時もあって、そこは「ウイルス」と「エロス身体」の交われるところと交われないところがあることについて、小浜さん独自の寛容な見解を示されてもよかったのではないかと思っています。

まだまだ小浜さんについて語りたいことはあるのですが、今回は彼の「エロス身体」論とわたしの思う「季節体」との類似性をとらえるころから見えてくるものに限って、わたしの感じてきた少しのことをお伝えできたらと思ってきました。

（二〇二三年六月十日）

〔第六信〕佐藤幹夫

遠くで見える「近さ」と、近くで見る「遠さ」

(1) 小浜逸郎との「近さ」という着眼

村瀬さんの、小浜逸郎さんへの追悼論考、たいへん興味深く拝読しました。渾身の「小浜逸郎論」であり、これほどの本格的な小浜論は、おそらく初めて書かれたのではないでしょうか。村瀬さんと小浜さんの「近さ」について、こういう切り込み方があったかと、大きな示唆をいただきました。私の返信は、村瀬さんのメールに直接お答えするというよりも、自分なりの「小浜逸郎」を示すことで、小浜さんへの追悼に代えさせていただこう。そう考えた次第です。

小浜さんと村瀬さんは、同じ一九八一年にデビューし（小浜『太宰治の場所』、村瀬『初期心的現象の世界　理解のおくれの本質を考える』）、子ども論、家族論、教育論と、競い合うように重なる領域でのテーマを論じていました。主題には近いものがありましたが、私は二人の書き手としての個性の相違、スタイルの対照性といったものを比較するようにして、読み継いできたという印象をもっています。

小浜さんは論争のスタイルを前面打ち出すことで、自身の批評のエネルギーを駆動させ、論争から新たな思想の手がかりを見出そうとしているようでした。いわば論難を自身の栄養とするような芸風でした。以前、編集者の小川哲生さんが「吉本隆明さんや渡辺京二さんは、喧嘩の腕っぷしの強さにおいて他を圧倒している、並ぶものがない、ああいう著者がオレは大好きなんだ」と語ったことがありました。言うまでもなく、小川さんは小浜さんと村瀬さんの生みの親。小浜さんは、まさに小川さんの偏愛によくかなう論争的な書き手でした。

よく小浜、小川のご両名と私の三人で、〝夜の街〟を訪ね歩いていたものですが、ときに始まる激論、隣りで見ている私の眼には、むしろ二人の結束の強さがいかに並大抵ではないか、その証に見えるのでした。論争家・小浜逸郎による『学校の現象学のために』、そこに満載された鋭利な批判論考。まさに本格派の論争家ここにあり、でした。

村瀬さんは逆ですね。異論・反論を述べるときでさえ、共有できる部分を拾い集め、賛意に至る筋道を探し、そこから論を展開させていく、そういうスタイルを採っています。今回の小浜論にもそのことを強く感じます。もちろん、ここ一番では厭うことなく批判の声をあげます。上野千鶴子への論難はかなり苛烈でしたし、斎藤幸平に対しても呵責ありませんでした。

とはいえ基本的には積極的に異論を打ち出すスタイルではなく、共有できる部分へと光を当てながら共通の土俵を作っていく。その光の当て方に、村瀬さんならではの独特の着眼がある。今回の「「エロス身体」と「季節体」の近さについて」という一文が、村瀬さんらしさをよく示していると感じます。

小浜さんのエロス論や情緒論、身体論は、小浜思想の中核をつくる大事な領域です。それが、村瀬さんの「いのちのわ」の思想とどう近いのか。村瀬さんは、小浜さんのエロス身体は「何かしらの「循環性」「周期性」を基調にしているものへの注目だった」と述べ、自分ならばそれを「季節体と呼ぶ」と書かれています。ここは意表を突かれました。そして「このような幾何学的、論理的な世界観に対して、エロス身体の世界観を対置できたと感じたとき、小浜さんは多くの「西洋思潮」と戦えることを確信できたのではないか」と書かれていますが、村瀬さんの指摘で思い起こしたエピソードがあります。

小浜さんはある時期、ヨーロッパの近代哲学には情緒論がない、どこまでいっても「理性」だけで、人間の関係や性愛がもたらす苦悩、葛藤、そうしたものを論じる情緒論がない。顔を合わせるたびにそう言っていました。そしてあるとき、「佐藤さん、一人、ショウペンハウアーがいた、『意志と表象としての世界』。これは読んだ方がいい」。まさに大発見！　という感じで、ショウペンハウアーについて語りつづけるのでした。抜粋したコピーまで用意してくれていたのです。「ヨーロッパ近代哲学とどう対峙するか」というモチーフが当時の私には皆無でしたから、文字通り「猫に小判」状態。さぞや小浜さんには物足りなかっただろうと、いまさらながら思います。

哲学と言えば、私は中盤から後半にかけての小浜さんには、なぜここまで西洋哲学にこだわるのか、と感じることの方が多かったように思います（たとえば『人はなぜ死ななければならないのか』（二〇〇七年）、『「死刑」か「無期」かをあなたが決める』（二〇〇九年）など）。小浜さんは負けず嫌いで、指摘されればされるほどムキになるようなところがある、と私はひそかに観察していました。小川さんと二人で遠回しに伝えるのですが、かえって逆効果で、哲学にこだわればこだわるほど「声」が大きくなり、概念だけが浮き彫りになり、小浜さんのもつ大事なものが失われていく。そんな危惧を抱くことしきりでした。

(2)『時の黙示』と「思想の後退戦」

お二人の名前を知ったのは、それほど離れた時期ではなかったと思います。本屋に入った途端、「その本に引き寄せられるように向っている」。書店における本との出会いが語られるとき、この手のエピソードがしばしば登場しますが、じつは私も、お二人の著作や論考に、このようにして出会ったのです。

村瀬さんの最初の著書二冊（『初期心的現象の世界』一九八一年、『理解のおくれの本質』一九八三年）を求めたのは、松戸市内の書店でした。居並ぶ書籍のなかからタイトルが目に入るや、すぐに手に取り、買い求めることを即決していました。まさに私の人生を変える二冊でした。

小浜さんの著述との出会いは、『ておりあ』という同人誌です。都内の某大型書店の雑誌を並べた棚にあって、『ておりあ』の発するオーラは数あるなかで他を圧していました。手に取ると、「学校の現象学のために」というタイトルが目に飛び込んできて、これまた即決で、バックナンバー数冊を買い求めていました。私が『飢餓陣営』を始めるのは一九八七年ですから、その少し前のことだったはずです。

ベルリンの壁の崩壊から湾岸戦争と続く激動期以前の七〇年代から八〇年代前半、それまで批評と言えば中心は文芸批評でした。しかし文芸批評は衰退し、次第に、社会批評を含みながら、映画、マンガ、犯罪、音楽、家族、子ども、性愛etcと、批評は様々な領域へと越境していきました。こうした事態と同時進行していたのが、政治や「天下国家」を語る論評が、ほとんど力を持たなくなったことです。一九七二年の連合赤軍事件によって「政治の季節」が一気に衰退し、批評の多様化は、おそらくこの事態を端に発しています。

それ以前のアカデミズムならば小浜さんの学校論はいわゆる「教育学」に、村瀬さんの初期心的現象論は、「障害児心理学」や「哲学」といった領域の仕事として分類されたはずです。しかし七〇年代後半から八〇年代に登場した、いわゆる「思想・批評」はジャンルを横断するようになされていました。結果的に、それまでの知の枠組みを解体させ、アカデミズムからはエネルギーが消失し形骸化してしまった——私の眼にはそんなふうに映っていたのです。

バブル期とその後の九〇年代になると、サブカルが勢いを増し、そこでさらに「批評」の文体が変わっていきます。「かるさ」拍車がかかっていったのです。一九八八年の幼女連続殺人事件（いわゆる宮崎勤事件）あたりが、そのきっかけだったでしょうか。「オタク」という存在が社会的に認知され、「オタク文化」が一気に表通りに出てきたのです。

この時期の小浜さんの著書に『時の黙示』があります。刊行は一九九一年。小浜さんのデビュー作は『太宰治の場所』（一九八一年）ですが、『時の黙示』の初出を見ると、同人誌『座標』を舞台に、一九八〇年の創刊号から一九八六年の五号に連載し、新たに終章が書き下されて一冊としたとあります。『太宰治の場所』と『学校の現象学のために』の執筆と同時進行するようにして、『時の黙示』は書き継がれていったわけです。そして刊行は湾岸戦争の直後。

私は『時の黙示』を「思想の後退戦の闘い」と受け止め、この間の事情をなんとか言葉にしようと、『樹が陣営』（当時はこんな名前でした）の八号（二〇〇〇年）に、「後退戦と湾岸戦争」と題して拙文を掲載しました。当時の雰囲気がよく伝わるのではないかと考え、恥ずかしながら引用させていただくことにします。

「後退戦と湾岸戦争」／小浜逸郎『時の黙示』（学芸書林、一九九一年二月）

（『樹が陣営』8・一九九一年九月より転載。本論考は「北明哲」名で掲載されている。）

ぼくが小浜逸郎の『時の黙示』を読んだのは、ちょうどあの「湾岸戦争」が一気に終結に向っていた時期にあたっていた。そして「湾岸戦争」をめぐるにぎやかな言説に苛立ち、その多くに異和をつのらせていたときでもあった。そんなさなかに、自分の苛立ちや異和が何によっているのか、『時の黙示』の渦中で腑に落ちた。「湾岸戦争」をめぐるあれこれの言説への苛立ちと『時の黙示』。一見無関係に見えるこの二つが、ぼくの中でうまい具合に符合したのである。

ところで、正面から「国家」や「革命」や「戦争」を語ることばがぼくらの周囲から水が引くように消えていったのは、七〇年代から八〇年代にかけてのことだったろうか。以来、ぼくらは「国家」や「革命」や「戦争」に代表される「公」性を捨て「私」性のほうに感受性を傾け、価値を求め続けてきた。「湾岸戦争」が始まるつい昨日まで、「お国」のことより「私」がだいじ、「おれの女や家族」がだいじといっていたのは、だれでもないぼくやあなたではなかったろうか。

そしてそう言い募るには、それなりの根拠もまたあったはずなのである。それなのにどうしてそんなことを忘れてしまったように、ここにきて急に「国際社会のルールがどうした貢献がどうした」と、ヒステリックな声を上げなくてはならなかったのか。こうしたいつもながらのオトシマエのつけかた（つけなさかた?）に、ぼくはどうも苛立っていたらしいのである。この『時の黙示』を読みながら、気付かされたのはまさにそのことだった。

ところで、何を隠そうこの本の著者小浜逸郎は、「おれの女や家族がだいじ」という場所で、「おれの女や子ども」や「家族」について、するどく、着実な論陣を張り続けている一人である。そして彼はまた「革命」のユメやぶれ、「政治」の季節にザセツした、かの全共闘世代の一人でもある。つまりこの『時の黙示』一冊は、政治の季節にザセツした著者が、その戦いの場を「国家」や「革命」から、「おれの女や家族」のほうに移していかざるを得なかった「後退戦」の一冊、オトシマエの一冊として読むことができるのである。

このことは序章の冒頭で、こんなふうに述べていることからも窺うことができるだろう。

《あらゆる記憶が、ひとりの人間の中にいくえにも積み重なり、それらが何の明確な意味を告げ知らせもせずに浮かんでは消え、互いにぶつかり合って打ち消し合い、かと思うと、予期しなかった結合のうちから全く新しい展開となって蘇ってくる――そこでは獲得されたようにみえる思想も、守らなくてはならない生活上の規律も、肉体の昂揚を通じて確認される瞬間的な充実も、なにがしか青ざめた顔をさらさずにはおかない》

ここで言われる「思想」や「生活上の規律」や「瞬間的な充実」が、何を指し示すかは明らかだろう。「思想」は革命思想であり、「生活上の規律」は「私生活より闘争の優先を」であり、「肉体の昂揚」と「瞬間的な充実」はゲバルトにおける昂揚と充実である。これらこそは、七〇年代を境に急速にすがたを消していったものたちである。そして言うも愚かだけれど、「思想」はファッションに、「生活上の規律」は消費の欲望に、「瞬間的な充実」は性をはじめとする様々な快楽へとなだれこんでいったのが、まぎれもなくぼくらの八〇年代である。

それなら「政治の季節」にザセツしたとき、なぜ「あらゆる記憶」が「全く新しい展開」となって蘇ってこなくてはならなかったのか。すぐそのあとにこんな一節がある。

《そのとき、いま、ここに自分がいることそのものがいかにも弱々しいことのように思え、彼は逃走しながら背中ごしに、か細い聲をふりまわし自分自身の過去と呼ばれるこの奇怪な存在と向い合わなくてはならなくなる》

過去の記憶に呪縛されるには、体験の数だけの契機があることだろう。しかしいずれにしても呪縛は、「いま・ここにいる自分」がひどく卑小で無意味で無根拠で、わけの分からないもので……という、自分自身への決定的な欠落の意識や、現在や未来への強いられた断念がもたらすものであることはまちがいない。欠落の意識や断念が大きければ大きいほど、記憶の呪縛もその強度を増す。そしてもし彼が現在を少しでもよりよく生きようと願うならば、この呪縛から出てかなくてはならない。こうして彼は過去と向き合い、語り始めることになるのだが、もはやリニアな告白や叙述では、呪縛を解くことはできない。何よりも彼は、これまでに獲得した自らの言葉そのものを疑うことから始めなくてはならないからだ。過去の記憶を語る方法や文体が、こうして周到に用意されなくてはならなくなる。いや、そこでどんな方法や文体を獲得するかということこそが、彼にとっての主戦場となるだろう。そしてこの『時の黙示』一冊が稀有な後退戦たりえているのは、まさにこの独特の方法、文体のもつ構造においてなのである。

（略）

ここで小浜が独特なのは、「ぼく」という主体が三つの位相をもって「語り‐語られる」こと、つまり「ぼく」を通して語られる語りの構造そのものが、ここでの主要なテーマの一つであり、文体の方法になっているということである。「語り‐語られるぼく（つまりここでは「聞き手としてのぼく」が想定されている）」とは、言い換えるならば、「ぼく」という主体が単一のべったりとした存在としてあるのではなく、さまざまな時間の層のなかで（略）関係の主体であると同時に、（略）「関係の総体」としてあるということである。

つまり過去の記憶や体験や、そこから湧き起こる想念を語ることが、同時に「ぼく」をめぐるこのような関係の総体についても語ることであるような語りの構造。ある現象の叙述が、同時にいくつかの時間の層を内在させることで、それぞれの時間のなかで生きる主体＝「ぼく」が重層的な関係づけを体現しているような語りの構造。徹底したこの方法化こそが、小浜の後退戦がどのようなものであったかを如実に示している。凡百の告白や懺悔などが及びもつかないような後退戦が、ここでは戦われている。少なくともぼくにはそんなふうに読めたのであった。

むろんこの一冊の随所に、後に展開される「家族論」「子ども論」「関係（エロス）論」の核心を読み取ることも可能である。いや、かれの「家族論」や「子ども論」が、単なる時勢や流行の所産などではなく、十年にも及ぶ長い思想的な蓄積のうえになされたものであることは、知っておいてよい。

あるいはまた「生きられる無意識」と題された現在進行中の仕事が（『試されることば』所収、JICC出版局、一九九一年）、「個体の心身論と、人間関係論を合わせ含むような」ものであり、「日常的に生きられてはいるが、未だはっきりことばで明示されていない生のありよう」に関心が向けられているものならば、これこそは『時の黙示』以来の、小浜の一貫した持続の所産であるだろう。

そして同時にこれらのことは、小浜の思想の源泉がどこにあるかをも示している。小浜が「家族の本質」といい「エロス〔関係〕の本質」というとき、また「実存」というとき、それは「生きていることの切実さ」をかならず伴うものとして表出される。むろん「切実さ」は主観であり、いくらでも変わりうるものではある。しかし小浜が「切実さ」というとき、それがどれほどの相対化の射程に耐えられるかという問いを経た後に表出されたものであることはいうまでもない。端的に言ってしまうならば、本質的なものは「切実」なものであり、それは「切実」であるぶん、相対化されなくてはならないという課題が、小浜の思想のことばの底流を作っている。そしてこのことも、『時の黙示』で問い続けられたものなのである。

ところで、このような思想の後退戦を戦った小浜は、かの湾岸戦争のなかで撒き散らされた言説に対して、次のような一文を記している。《(「私たち」が置かれているさまざまなレベルを指摘した後)そして、これらのさまざまなレベルの「私たち」のまわりには、本来、そういう立場性を何の疑問もなく飛び越えてこの戦争について「為政者のごとく」気安く語ってしまうことを許さない、膜のようなものが、十重二十重にはりめぐらされているはずであった》

《だからこの戦争について言説者としての「私たち」が何ごとかを語ろうとするなら、いったい、自分はどの立場性のうちに幽閉されており、自分を取り囲んでいる膜をどのように意識し、それを架空の設定によってどこまで破ったうえで語るのか、そういうことを文体や方法として示しつつ語るべきであったのだ》(いずれも「湾岸戦争は『イージー・ライダー』を超えたか」『別冊宝島135 ニッポンと戦争』所収)

どうだろうか。まさに『時の黙示』の著者にふさわしい認識が語られてはいないだろうか。そのことを認めつつも、あえて言うならば、湾岸戦争の渦中にあって、全共闘世代からの発言がひどく少ない、と苛立ちとともに感じていたのは田中康夫だけではなく、ぼくもまたその一人であった。そしてそれはどうしてなのかと考えているさなかに、『時の黙示』があらわれたのである。

小浜はこの点についても、自分たちは「私的な切実さを飛び越して天下国家を語ることの危うさとうさんくささを思い知った」世代であり、それがこの世代の「沈黙の」意味だと言及している。しかし、そうであればこそ、リアルタイムでの、正面からの発言を聞きたかったと、ないものねだりの感想を抱いたこともまた隠しようのない事実であった。

当時、「思想の後退戦」は小浜さんのみならず、私が後を追いかけていた同世代の書き手の方々にも共通していると考えていました。村瀬さんも同様で、『初期心的現象論』以前、障害を持つ人の施設職員として勤務するという時間のなかで、吉本さんや、ヘーゲルなどのヨーロッパ思想を地道に読み込んでいったという時間があったはずです。それぞれにとっての七〇年代は「思想の後退戦」を闘う時期だった、そういう認識が、この「後退戦と湾岸戦争」という一文書かせることになったのでした。

『学校の現象学のために』以降、「実存の思想家」、あるいは「生活世界の思想家」とは、小浜さんにしばしば向けられていた評言でした。それは政治や「天下国家」を語る思想の文体とは、明らかに一線を画していました。逆に言えば、小浜さんの文体は、「天下国家」を語るようにはできていません。小浜さん自身も、「国家論」は苦手だと述べていたほどです。ところが後半に入るにつれて「天下国家」を語る場所に自分をシフトさせていったのです。不慣れなことに無理をして手を出している、自身の美質を自らの手で捨てている、そんな何とも言いようのない気持ちで私は見ていたのでした。

それにしても『学校の現象学のために』（一九八五年）、『方法としての子ども』（一九八七年）、

『可能性としての家族』（一九八八年）と矢継ぎ早に刊行されたこの三部作は圧巻でした。「下手なエンタメ小説を読むよりもはるかに面白かったです。ハラハラドキドキしながら読了しました」と、そんな感想を小浜さんに伝えたことを覚えています。

そして『飢餓陣営』に、毎号のようにご登場いただくようになったのが、一九九〇年以降。いわば「批評（思想）」を中心とした誌面作り、という『飢餓陣営』の基本的なコンセプトを定めていったのがこの時期ですから、小浜さんの仕事を追いかけるようにして雑誌作りを続けていったのだと、いま改めて思います。

小川哲生さんを紹介してくれたのも小浜さんです。小浜さんが主宰する勉強会で滝川一廣さんを知り、哲学研究会では竹田青嗣さんや西研さんと知己を得、また別のところで、加藤典洋さんや橋爪大三郎さんとのつながりを作ってくれたのも小浜さんでした。私が教職を辞してすぐ、小浜さんはいくらかでも私の生活を資することになればと人間学アカデミーを開講し、そこでさらに、多くの書き手の方々を知ることになります。こうした小浜さんの導きがなければ、『飢餓陣営』をここまで続けることは、とてもではないができなかったでしょう。

(3)　深い共感のなかに萌した微妙な違和

ふりかえってみると、九〇年代後半の仕事に、小浜さんの二つ目のピークがあるようです。たとえば『癒しとしての死の哲学』（一九九六年）であり、『大人への条件』（一九九七年）であり、

『無意識はどこにあるのか』（一九九八年）、『なぜ人を殺してはいけないのか』（二〇〇〇年）などといった仕事がそれにあたります。九〇年代に入ると、小浜さんは年間一冊から二冊というハイペースで著作を刊行していくようになり、そうすると、玉石混交はどうしても避けられません。しかしこれらの著作はそのなかでも特に充実しており、論争的スタイルの円熟と言ったらいいでしょうか。「生活思想としての哲学」が、それまでの論敵をねじ伏せようとする文体とはまた異なる広がりを見せていたと感じるのです。

『飢餓陣営』の創刊から一〇年を過ぎ、やっと私も、自分の批評の言葉で小浜さんの仕事を論じてみたい、そう考えるようになりました。当時、書いた書評があります。おそらくこれ以上のものは今の私には書けないでしょう。不十分な若書きではありますが、当時の原稿を二本、引用させてください。

「癒しが可能になるための家族」論として読む／『癒しとしての死の哲学』（王国社、一九九六年、（『現代詩手帖』一九九七年六月号より転載））

本書はタイトルの通り、死をめぐる思想の書である。しかもきわめて現代的な課題に迫ろうとした思想の書である。そのアウトラインをタイトルに引き付けて言うならば、一つは死が現前したときに、どこで、どんなかたちで「癒し」が可能になるかという問いであり、もう一つは死を大きな物語や宗教のような超越性としてではなく、哲学の可能性としてどう示すことができるか、という問いである。むろんこの場合の哲学とは難解な形而上学ではなく、生活の実相のなかで死はどのように感知されているのか、という問いかけである。

こう書くと、このどこが現代的なのかと、そう訝るむきもあるだろう。ここで扱われているのが、脳死、癌告知、末期治療という未だ共通了解も倫理も確立されていない主題であり、随所にいかにも著者らしい大胆で明解な提言が見られるのだが、そのことをして、きわめて現代性に富んだ試みであるとまずはいえるだろう。しかしそれだけではない。何よりも著者の表出の方法や思想に対する根本的な姿勢に、「戦後的思想」を超えようとする現代性を感じるのだ。たぶん、近年の阪神大震災からオウム真理教事件という未曽有の時間のなかで、著者は批評の役割がなんであるか、ある決意とともに選択したのだと推測する。

ところで、死者を悼み、死にさまざまな思いを重ねるのは、人間が幻想存在であるというそのことによる。そして人間のもつ幻想性は、大きく二つのことを必然とせずにはおかない。一つは関係存在であることであり、もう一つは時間という意識をもつこと、つまり自己の有限性を自覚せずにはいられない存在であることだ。そしてこの二つが原理的に表現される場が家族である、というのが著者の基本認識だと考えてよいだろう。家族は「男―女」のエロス的結合を横軸とし、「生誕―死」という世代の継承を縦軸として営まれる関係の場なのだが、それは「互いの生と死を時間をかけて看取りあうような形での結合状態を求めている」

ものだとされる（『可能性としての家族』）。

本書において家族の役割に直接言及している部分は少ないが、人間的死と癒しを可能にするために、家族が重要な意味をもつことを浮かび上がらせること。それが、本書のもう一つの主題である。死が現前したときに家族は何を引き受けなければならないか。かつて死は誰もがただ受け入れるほかない「絶対的宿命」であったのだが、告知、延命治療、尊厳死という問題が示すものは、死が時に決断し選択すべきものとして家族に要請してくる、そういう新しい問題なのだとされる。医師や医療システムに一切を没主体的に預けるのではなく、家族が決断する主体になれるかどうか。死にゆく者にとって「癒し」の場になれるかどうかも、ひとえにそこにかかっている、というのが、私が受け取った鮮烈なメッセージである。

著者が提示する強い（硬派の？）家族メッセージに対してはいろいろな意見があるだろうし、私もすべてに頷くわけではない。しかし死や医療を常態とするだろうこれからの高齢社会の家族像として、間違いなく一石を投じている。

思想の継承について／小浜逸郎『無意識はどこにあるのか』（洋泉社、一九九八年、（『現代詩手帖』「読書日録12」（一九九八年一二月号）より転載））

本書は小浜逸郎の思想の、たぶん本丸の部分である。そして今後書き継がれるべくその序章であり、ここにおいては、フロイトの批判を通して提示される著者独自の無意識概念を読み取ることが正面の入り口となる。例えばうねりのようなエネルギーを持ち、それゆえに心や身体をいかようにでも変形させかねないもの。人が見せる歪んだ行動や不安の根源にありながら、巧妙に隠されているもの。フロイトはそのように無意識を実体化し、人間の心性の負の部分における或る力との関係として描いてみせた。

一方の小浜は、フロイトは現在の生やその現象を、ありのままにとらえようとする思想的姿勢において欠けているものがあり、無意識は「意識自身が自分を超えたものを意識させられる現象」であり、「日常的に生きられてはいるが、未だはっきりと言葉で明示されていない〈生〉のありよう」なのだと書く。そして、生のありのままの様態という着眼に、時間性、他者性、身体性という三つの契機を導入する。時間性、他者性、身体性は、「それとともに」「それを」生きており、「それによって」生かされている生存の条件であり、それらは葛藤や苦痛、不安、という「気づき」があって初めて存在が意識されるというような自己否定的な在り方で、心と身体の全体を染め上げているものだとされる。

さらに言えば、時間性とは記憶や有限性（死）の自覚の謂いであり、他者性とは家族を営み社会へ参入する必然やエロス性の根拠であり、身体性とは生誕から死までの発達過程や病や老いが表現される場である。これらの中核となるべく理念が、家族論、学校論、子ども論、死の哲学となって具体的に表現されてきたことは周知のとおりである。つまり「無意識」とは、小浜思想の全体をカバーし、各領域を貫いている重要な理念であることが、本書によって明らかとなる。

ところで、小浜の近年における中心的な仕事が、その思想形成において重要な役割を果たしてきたはずの思想家たちとの格闘、もしくは思想的訣別となっていることに気づく。『オウムと全共闘』における吉本隆明。『癒しとしての死の哲学』におけるハイデガー。そして本書におけるフロイト。小浜のこれらの著作を読みながら、私はその批判的言辞の奥に、愛憎の微妙に錯綜した書かれざるドラマを感じ取ってきた。ある思想家からの離脱は、その傾倒が深いほどに激しい葛藤をもたらすはずであるが、小浜が示しているのは「父親殺し」というかたちである。「父親殺し」とは哀惜をこめて自身の手で父を殺すことであるとともに、それによって自らを「父」として立たしめること、「父」としての受苦、孤独、責任を引き受けることだと言える。

むろん、「父親殺し」だけが思想の継承なのだというつもりは毛頭ない。しかし思想の継承の仕方において「父親殺し」を感じさせることは、小浜の思想的態度のなんであるかを語ってはいないだろうか。小浜の激烈な批判の対象とされた表現者たちは、あえて言えば自らの「父」を殺すことにおいて不徹底であり、また自身が「父」であることにおいて不徹底である、と見做されてきた表現者たちだということになる。むろんすべての表現者が「父」である必然はない。しかし、そこに激しく批評意識が発動するのが、小浜の批評家としての生理あるいは特質ではないだろうか。「父」であるとは言うまでもなく比喩ではあるが、批評とは何であり、だれに向けられ、どこをめざすべきなのかという小浜の批評理念の根幹をも、それはまた語っている。

これらが今回の新たな発見であり、読後の感想であった。

おかしな話ですが、これらの書評を書きながら、小浜逸郎の最大の理解者はオレだろうという自負めいた思いを、このとき感じていました。何を書きたいか、なぜこのような表現になるのか、小浜の思想の全体像のなかでこれらの著作はどう位置づけられるのか。「よく分かる、よく見える」。そんな思いを強く持ちながら、これらの文章を書いていたことを覚えています。もちろん独りよがりの錯覚であり、思い上がりです。

一方で、この時期、微妙な違和感を覚えた著作があったことも確かです。それが『吉本隆明——思想の普遍性とは何か』と『「弱者」とはだれか』（ともに一九九九年）でした。吉本論に関しては微妙どころか、はっきりと違和感を覚えました。困ったなあと思いながらも、しかし、違和感のなんであるかを正面から書いて伝える力がないことは承知していましたし、敵対する危険を冒してまで言葉にする、というモチベーションが当時の私にはありませんでした。

(4)『「弱者」とはだれか』をめぐって

微妙だったのは、『「弱者」とはだれか』でした。ここでの主題は、最後の著作となったポリコレ批判（『ポリコレ過剰社会』二〇二二年）を先取りするものですが、自分の弱者像とは決定的に違っている、しかしその違いがどこにあるのか、しっかりと論じるほどには、力量の非力さゆえに自身の「弱者像」が鮮明にはなっていない。そんなもやもやが、しこりのように残りました。

小川哲生さんの手になる私の二冊目の本は『ハンディキャップ論』（二〇〇三年）ですが、この本はじつは、『「弱者」とはだれか』を仮想敵として書いたものでした。『「弱者」とはだれか』は一〇万部を超えるヒット作となりましたし、秀作であることは十分に認めていました。批判する、敵対し、論難するというよりも、あくまでも自分自身の「ハンディキャップ」とはなにかについての考察であり、ハンディキャップを抱えた存在とはどんなものか、そのことへの論及です。

この本を書きながら、小浜さんの「弱者理解」では、彼らの生きることにまつわる様々な困難が見えてこない、むしろ「普通の存在への普通の理解」という名の下でそれらは見えにくくなる、『「弱者」とはだれか』で描かれている「弱者」は弱者存在そのものというよりも、あくまでも「普通」というマジョリティの立場にいる著者による、仮構された「弱者像」に過ぎない、それでは実相には届かない、そんな印象を持ったのでした。

ポリコレ批判にも同様のことを感じます。マイノリティの側が人権人権と過剰に言い立てることが批判されますが、ではなぜ彼らがそのように、何事かを主張するときに「人権」という言葉を突出さなくてはならないのか。彼らがどのような現実を生きることを余儀なくされているゆえなのか。「ポリコレ」という言葉でひとくくりにされ、そのような背景事情に対する考察が希薄ではないか。どうしてもそう感じざるを得ないのです。

何が微妙だったか。私は決して障害をもつ人々の存在が「絶対善」である、と主張しているわけではありません。しかし、生きることの困難を理解してほしいと前景に押し出すことそれ自体が、「弱者聖化」という名の下で批判されかねない。小浜さんはそこまで「雑」な思考をする批評家でないことは承知していますが、その齟齬が『「弱者」とはだれか』を読んだとき以来、私が感じてきた微妙な違和感だったようなのです。

以降、私は『自閉症裁判』（二〇〇五年）を書き、『裁かれた罪　裁けなかった「こころ」』（二〇〇七年）を書いて、「障害と犯罪」というテーマに深入りしていくことになるのですが、小浜さんとの間に生じてしまう、どうしても埋めることのできない齟齬が明らかになっていくのでした。酒席での雑談、放談だったので具体的に書くことは控えますが、私が差し出すテーマの肝心なところや微妙なところが伝わっていない、受け止められていない。この主題が、自分にとっての重要性が増すにつれて、小さかったはずの誤差が大きな差異になっていく。会うたびにそう感じるようになりました。

私が「書き手」という場所に立たず、『飢餓陣営』を舞台として、編集やインタビューを中心とした仕事だけをフル回転させていれば、こうした事態は避けられたかもしれません。しかし著者として立った以上、そして「障害と犯罪」という主題を自分の主戦場であると思い定めた以上、どうしても妥協する余地がなくなっていく。そんなふうに事態は進んだのです。

「障害と犯罪」というテーマを持続するのは、なかなかタフさを要します。「障害があろうとなかろうと、犯罪を犯したら罰せられるべきだ」という、外野からのピント外れな批判（とも言えない難癖）などは、何ほどのこともありません。福祉や教育といった、関連するはずの領域にある多くの人たちにとっても「対岸の火事」、肝心なところがなかなか伝わらない、理解してもらえない、という孤立感や閉塞感を覚えることは少なくありませんでした。

そして困ったことに、小浜さんがお家芸とする「普通の人の普通の考え」が、何をあろうことか「障害者」やら「犯罪者」にたいして、時に問答無用の批判者として、あるいは排除者として現れかねない。津久井やまゆり園事件の被害者や遺族・家族が匿名を決断せざるを得なかったのも、「普通の人」たちによる「普通の考え」が、いかに根深い差別感情や排他感情と背中合わせだったか、そのことによっていたはずです。行き過ぎた「人権絶対主義」は、もちろん私のとるところではありません。しかしまたポリコレ批判者の多くが、自分たちがいつどこで差別や排除の当事者になるかもしれないという、その点への自意識や自覚をいささか欠くのではないか。そんな危惧を拭うことができません。

小浜さんはどう答えたでしょう。小浜さんにもう少し残りの時間があって、再び酒の席をご一緒することができたなら、こうした点をどう考えるか、私のほうも少しばかり余裕をもってぶつけることができたかもしれません。私の了見の狭さゆえなのでしょう。残念ながらそれは最後まででかないませんでした。

あれほどの恩義を受けながらも、こんなふうにして私は、もう妥協の余地はないなと感じながら、距離を置くようにして仕事を続けてきたのがこの十年でした。それが私と小浜さんの後半戦でした。

＊

村瀬さんが、大きな「輪（わ）」のなかで、お二人の差異を包摂するように論じておられるのとは対照的に、私のほうは、じつはそれほど大きくはないかもしれない齟齬に拘泥し、必要以上にそれは埋めがたかった、妥協できなかった、と言い訳のように論じている。そんな文章になってしまったかもしれません。

――年を取って来るといろいろな「訣《わか》れ」がある。死別するという訣れ方もあるけれども、どれほど親しかった人間であっても、「思想的な訣れ」を余儀なくされることがある――「小浜逸郎を偲ぶ会」で挨拶をした方の幾人かが、そんなことを話していたのが印象的でした。

それにしても、七五歳での他界とは、早すぎます。けれども最後まで存分に仕事をつづけ、またプライベートでは豊かに充実した最晩年であったことを知り、十分に人生を全うしたのだと安堵する思いでした。そんな「偲ぶ会」でした。

返信にもならないような拙文を綴ってしまいました。遠くにいた村瀬さんが「近さ」について書くことで小浜さんへの思いを寄せ、だれよりも近いところにいたはずの私が二人の「遠さ」について書く。今回はそんな往復メールになりました。こんなところでご容赦ください。

（二〇二三年六月二四日）

〔第七信〕村瀬 学

佐藤さんの返信への、取り急ぎの返信

お返事、ありがとうございました。書評が再録されておりましたが、書評という名の、歴史的文書だと思いました。出版当時に出た書評としては、とても苦労して全体を把握しようとつとめておられた文書であることがよくわかります。そしてまだ矛盾を秘めた小浜さんの思索の時期の書評を、その当時すでによく引き受けられたものだと思っています。その佐藤さんの書かれたものを今ごろ読ませていただきながら、当時の時代状況が、ありありと思い出されます。その過程で気の付いたことを、忘れないうちに、返信への返信として、書かせて頂きます。

小浜さんは、何よりも「相互性としての存在」「関係存在」の仕方を、人間の原型として考察（『倫理の起源』は、まさにそういう志向を貫こうとした最後の論考でした）してこられました。それなのに、もっとも身近な人たちと交わす「認識のずれ」が、大事な「人間の相互性」を破綻させることになることを、なぜかためらわなかった小浜さんがもう一方におられて、それが端から見ると「矛盾」にみえ、小浜さん自身が『倫理の起源』のⅢ部を「人倫がもつ矛盾をどう克服するか」と題されていたところなどは、もっと読みたいと今では思うところです。あれほど「相互性」を求めていながら、わずかな認識の不一致や不同意が、関係の非寛容や破綻を生んでしまうという不思議。

このことを理解するには、何度も指摘することになるのですが、彼の「過剰な死への感覚」が必要になるのでは、というところを思います。私は一度だけ、小浜さんや編集者の方々と一緒に夕食を終えた後、夜の町を歩いていたことがあるのですが、私と小浜さんのグループが先に歩き、小浜さんの奥さんが後のグループになって、すっかり遅れてしまっていたときのことでした。そのことに気が付いた小浜さんがとても慌てておられました。というか、端から見て異様にうろたえ、オロオロされていたことにビックリしたことがありました。ついさっきまで、あれほど理路整然とカミソリのような切り口で、話をされていた小浜さんとは全く別人のような小浜さんを見たように感じていたからです。たかが奥さんが遅れて歩いているくらいで、なんでそんなにうろたえることがあるの？という感じでした。でも『倫理の起源』（ポット出版プラス、二〇一九年）の結語にこういう下りがありました。

死は日常生活のいたるところに入り込んでいる。それは部分化され、小片化され、希薄化され、拡散している。たとえば、母親がなかなか帰宅しないために幼い子どもが不安を募らせるとき、彼は母親の不在、即ち母親の「小さな死」に出会っているのである。

こうして人生のさまざまな局面で、親しい者の不在に出会うとき、私たちは本体としての死の影に触れることになる。だからどんなに絆を誓い合った存在でも、やがていつかは別離していくという事実をだれもが身に沁みてわきまえているのだ。

たぶんこの「母親の「小さい死」」と呼ばれたものの背後には、小浜さんの現実の「母親体験」あるいは「家族体験」があったのではないかと思います。そういうなにか「親しい人の不在」を感じたときに「死の影」を感じてしまうという過剰反応。私は夜の町で、「奥さんの不在」に気が付いた小浜さんの見せた過剰なうろたえは、何かしらそこに「死の影」を見た人の反応だったような気が今ではしています。

こういうことを書きますのは、なにも小浜さんとの思い出話をするためではありません。実は、佐藤さんが書いておられた『「弱者」とはだれか』（一九九九年）の価値観への佐藤さんの違和などにも関連してくるように思いますから。そこには、『頭はよくならない』（二〇〇三年）とか、『やっぱりバカが増えている』（二〇〇三年）というような表題のタイトルに見られるような、何かしら、世間で「マイナス」と見られる人たちを、安易に好意的に肯定する自分を「打ち消したい」と思うがためのイラ立ちが見られる気がするからです。

というのも、「弱者とはだれか」の問いかけの小浜さんの答えは、端的に言えば「わたしだ」というものではなかったかと、今の私なら思うところがあるからです。でも、その場合の「弱者のわたし」は、「障害者」や「禿やブス」や「バカ」でもない、世間で言われる「弱者」ではないようです。でもそこに通じる「わたし」がいて、それは、簡単に肯定しえるものではない、と小浜さんには感じられていたように思えるのです。それは、いままでに小浜さんの言い方を借りれば「内的に抱いた虚無感」を生きるような者であり、自分の家族体験を通して感じてきた「愚」を生きるような者……。それは、だから簡単には肯定できない（というか、相当きつい次元で小浜さんはそれを生きてきたという自覚をもっている）のに、近年「弱者」と呼ばれる人たちは、必要以上に肯定的に語られることが多くなってきているのではないか、と。小浜さん自身が、自分の抱える弱者（虚無感をかかえて生きる者）やあるいは愚なる者の打ち消しができてこなかったのだから、世の「弱者」に対しても、簡単にそこを肯定してはいけないのではないか、小浜さんはそんなふうに感じていたように思えるのです。

小浜さん特有の「死の感覚」と隣り合わせのように感じられていた「弱者」や「虚」や「愚」に対して、そこに「死の感覚」を感じ取ろうとしない批評や思潮に対しては、小浜さんは過剰な反感を持って対処してこられたように思います。それは彼のニーチェへの共感と反感の入り混じった書き方によく現れています。『「弱者」とはだれか』は、『倫理の起源』の中の「ニーチェの道徳批判」の章に対応しているように思われるからです。その章は「ニーチェの選民思想」「強弱・優劣の原理」として展開されていて、そこで小浜さんは、ニーチェの思想に「劣弱な存在を堂々と軽蔑する心」を見たと書き、「ニーチェにとって、一番我慢がならなかったのは、世界が力と力のぶつかり合いであるという事実を、同情道徳や隣人愛道徳によって隠蔽しようとするその欺瞞性である」と書いていました。

しかし、そのガマンの出来なさの出所は、実際はいくら理屈を捏ねても打ち消しの出来ない自分の「虚無感」や「愚」の所在であったのではないかと思われます。だから、こういうニーチェの思想に、若い頃は取り憑かれていたと書きつつ、深く共感するところはあれ、そのまま共感し続けると自分は彼のように「破滅」することも感じていって、それゆえにこそ、そういう考えを克服する考え方として、相互性を生きる「エロス身体」の考察を対置させていったのではないかと私などは思います。(しかし、単著として『「弱者」とはだれか』を読めば、そこにはニーチェ風の「弱者批判」ばかりが、目につくようになっているかも知れませんが)。

このことは「なぜ人を殺してはいけないのか」という問いを発した高校生に向けて、そういう問いかけをしてはいけないのだと書いた小浜さんの思いによく現れていると思います。自分が家族史を通して生きてきた虚無や愚や弱さは、「打ち消してしまいたい」ものであったはずなのに、それはそうならないし、そうしてはいけないものを小浜さんは感じてきて、そこは言葉には出来ない次元のものだったはずなのに、今簡単に、「なぜ人を殺してはいけないのか」などと言うことをいう若者が出てくると、そういう発言や疑問の出し方が、よく考えもしないで、ファッション感覚のように「死」を持て遊んでいるような「愚問」に見えていて、そんなことを簡単に口に出して言ってしまうことを戒めるような反応を小浜さんは示されていたのではないかと覚えています。小浜さんには、そういう「愚問」に、大の大人が、大真面目に反応するのも「愚」に見えていたのではと思います。そこには、佐藤さんの指摘されていた「父親殺し」あるいは「母親殺し」の契機（死の契機）を含むものであったがゆえに、軽々しく口に出して言って欲しくないという事もあったように思われます。

最後になりますが、先の便りの親鸞の『歎異抄』のところで、唐突に「方言」の話を持ちだして、なんのための方言の話なのか、説明不足だったように感じておりましたので、少し補足的なことを付け加えさせていただきます。と言いますのは、小浜さんには、自分の抱える「虚無や愚や弱さ」に対置できるものとして「エロス身体」があることは実感として確認しつつも、理屈や論理としてでも、そういうものに対抗できる考えを打ち立てたいと強く望んでいたと思います。そのために小浜さんの考えていたことは、西洋の哲学史が、そういうもの（「虚無や愚や弱さ」のようなもの）に向かい合ってきた自分を救う考えになってこなかったところを、理論としてまとめたいと願っていたと思います。それがプラトンからはじまり、カントやニーチェやハイデッガーや大森荘蔵や吉本隆明などを肯定し批判するという、ある種の小浜さんなりの批判「フォーマット」を細かく書き上げるという作業だったように思われます。ある意味では、小浜さんの書くどの本にも似たようなフォーマットで説明されるこの西洋哲学史批判へのこだわりは、彼が考える「愚」から抜け出す一つの「魔悪払い」の儀式のような感もありました。それでも、その「フォーマット」は、ある意味では、小浜さんの嫌うアカデミズムをなぞるようなことにもなっていたように思われます。

　そのことがいみじくも出ていたのが『歎異抄』の現代語訳だったのではないかと私などは感じていたわけなんです。本来であるなら親鸞は自らを「愚」と感じ、「愚禿釈親鸞《ぐとくしゃくしんらん》」と名乗ったと言われるくらいですから、翻訳も「愚」に見られる「方言」でも訳されてもよかったのに、吉本隆明さんも小浜さんも、立派な「標準語」で訳されたのは、どこかしら、「愚」ではいけないという思いがあってのことではなかったか、と私などには感じるところがあったんです。

「こんな戦乱の世の中で生きてゆくんなら、軽薄きわまることばを平気で言えるようでなきゃ、とても駄目だね。重厚？誠実？ペッ、プッだ。生きて行けやしねえじゃないか」と太宰治。

（二〇二三年六月二三日）

Ⅳ 「福祉」の言葉は今、どこにいるのか

〔第八信〕村瀬　学
福祉にとって「美」とはなにか

(1)　小学生の女の子からの問い

おそらく、あまり問われたことのない問いを立ててみたいと思っています。それは福祉にとって「美」とはなにか、という問いです。そしてこの問いは、「福祉の現場」に触れてきた村瀬なり、佐藤さんなりが、密かに、でも、切実に抱えてきた「問い」でもあるような気がしています。それはまた、例えば「相模原事件」の犯行者、植松聖が抱えていた「美」の問題であり、小説『ハンチバック』の抱えていた「美」の問題であるようにも感じています。

でも「福祉の現場」にいるものには、おそらくこの「問い」はタブーの問いだったように思います。「福祉の現場」では、人はみな「平等」とか「同じ」という価値観や思想を学び、それを

「現場」に適応しようと頑張っています。そんな中で、人のあり方に優劣を付ける「優生思想」はとんでもない考え方として退けられるのですが、もう一つ、無意識に抑制させられていたのが「美」というものへの価値観の抑制だったように私などは感じています。

私は在学中に「福祉の現場」に入り、卒業と同時にそのまま「福祉の現場」で仕事をすることになっていったのですが、ちょうどその頃（一九七〇年代半ば）は、「障害児も地域の小学校へ」というスローガンの元に、私なども動いていました。その背景にあった思想をいま吟味しようというのではないのですが、その「現場」でわたしが直面していたある出来事があって、それがその後ずっと心に残り続けてきています。そのことは、折りに付け書いたり話をしたりはしてきましたが、その後何か「答え」らしきものを得たような実感はありません。

当時の小学校には「特殊学級」と呼ばれる「障害児のための学級」があり、「重度の子ども」たちは「給食」の時間だけ、「普通学級」に行って、みんなと給食を食べるということが行われていました。その出来事とはその「給食」の中で起こりました。

当時のわたしは、「心身障害児通園施設」と呼ばれる就学前の障害を持った子どもたちの療育に関わっていたのですが、その中に、頭に水の溜まる「水頭症」と呼ばれる子どもがいて、中でもAちゃんの頭はとても大きく、たぶん通常の子どもの二倍くらいはあったように思います。もちろん、頭は自分で持ち上げることはできませんし、寝たきりで、よだれかけをしていて、周りの人にすぐにわかる意志的な反応を見せてくれることもない子どもさんでした。でも、就学時になった時に、その子は地域の小学校で迎えてもらいました。そしてしばらくして、その小学校の先生から、ある相談を受けました。給食の時に、クラスの生徒が順番にそのAちゃんに食事をさせてあげるということをしていたのですが、ある女の子がAちゃんの給食の世話をしたあとで、自分の給食が食べられなくなることを話しに来たというのです。理由を聞いてみると、よだれを垂らしているAちゃんの口に、食事を運んでいたあとで、自分の食事になると、そのよだれのことなどが気になってご飯がおいしく食べられないということでした。

私はその時ハッとして、その女の子の気持ちがわかると感じてしまったのです。でもそのことを伝えると、「障害児と健常児の交流」の唯一の接点になっている給食の場に、何か不穏なことを言わなくてはならなくなり、どういうふうに助言すべきなのか、とても悩みました。その時、どんなふうに答えたのか全く覚えていないのですが、今でも答えを求められると答えるのに窮すると感じています。

たとえばレストランには、静かな音楽が流れ、美しい食器類に盛り付けされた凝った食べものが運ばれてきて……そんな中で、恋人同士が「おいしい食事のひととき」を過ごします。その時、食材、料理、食器、店の装飾、雰囲気など、店側の「美的な演出」と相まって、「おいしさ」が増すように工夫され、そしてそこに食べる相手との関係が、一層親密になれるような工夫がなされています。

では「給食の世話」「給食のケア」というのは、どういうふうに考えると良いのでしょう。「共に育つ」という意味でも、「給食の世話」「給食のケア」は当然大事と先生方は考えます。最初は嫌がる子どもがいても、実践を重ねるうちに、しだいに慣れてきますし、理解も深まります、と。そういう先生方でも、懇親会の会食の場では、自分の前や隣に誰が座ってくれるのによって、食事がおいしく食べられたり、おいしく感じられなかったりすることのあることは、よくご存じです。

(2)「ともに（倫理）」と「ととのえ（美学）」と

こういうAちゃんとケアするB子ちゃんの例を出して、何が言いたいのかをうまくお伝えするのはなかなか難しいです。でもやってみなくてはなりません。私はB子ちゃんの感性の持ち方を、わがままとか、特別なものと見ることができないで困りました。「食事」という場面では、私たち大人でも誰でもが持っている感性だと思いましたので、先にレストランや親睦会での食事のことを書きました。

もしこのことを、もう少し違ったふうに表現するとしたら、次のようになるかも知れません。「福祉の現場」では、どうしても「倫理」の感覚が優先させられてゆきます。ここでいう「倫理」とは、「ともに」という教えです。それを仮にここで「ともに（倫理）」と表現すれば、「福祉の現場」あるいは「教室」では、「ともに（倫理）」が求められているということになります。

ところでB子ちゃんの立場に立てば、楽しい状況で食事をすることを家庭で体験してきたのに、教室ではよだれをたらすAちゃんの口に、食べものをスプーンで運ばなくてはならない。ここでのB子ちゃんの立場を文字にすれば「楽しく、気持ちよく食事をする」ということがAちゃんに対して出来ていなくて、その結果その後の自分の給食も「楽しく、気持ちよく食べられない」ことが起こってしまっていた……。この「楽しく、気持ちよく」というありかたは、レストランが見せる「心遣い」「心づくし」のようなものから、家庭での食事の用意、食卓を準備する人の「親心」「気配り」のようなものとして考えることができます。そういう準備された心配りの中で食事をしてきたB子ちゃんにとっては、A子ちゃんの食事のケアと、その後の自分の食事を連続させることがとても難しかったかもしれません。B子ちゃんにとっては、「食事」は多くの心遣いが「ととのえられた場」で、ある意味での「美」が用意された場だったと思われます。このことは、改めて「ととのえ（美学）」と呼んでもいいかと思います。

ここでいう「ととのえ」とは「整え」のことで「整形」のことをいうのですが、「美容整形」とか「整形外科」という言い方でも使われる言葉です。例えば一匹の生きた魚は食べることができませんが、それを切り分け、頭や内臓を取り出し、さまざまな具材や調味料とともに煮込んだり焼いたりすることで、初めて「食べもの」になるのですが、それは食材の「ととのえ」ということができます。その料理と呼ばれる「ととのえ」には、先人の知恵や、心遣い、美的センスがたくさん詰まっています。そういう意味での「ととのえ（美学）」があるという一方で、「ととのっていない」という事態も起こりえます。いくつかの調味料や具材がととのわなければ、「おいしいもの」が作れないことも。そこに「不足」や「不具合」が、「不整形」や「不具」と感じられる事態がでてきます。

このことがなぜ問題になるのかというと、「福祉の現場」で、「障害を持つこと」それ自体を、「正常／健常」からの「外れ」「不具」と見なせば、それを「整形する」とか「整える」ということを、訓練とか療育として位置づける発想が出てくるからです。でも、そういう発想の訓練や療育をする一方で、「みんなは同じ」「みんなは平等」という観念も前提にし、「ともに」の「倫理」を共有し合わなくてはなりません。

ここには何かしらの矛盾というか、相容れない観念の対立があるんですね。「ともに（倫理）」という観念は、「ひとの同じ」を前提にしているのに、「ととのえ（美学）」という観念は、「整形―不整形」を前提にしている観念になっているからです。そういうことがあるために、「福祉の場」では「美」について「考える」ことや「教える」ことがためらわれ、触れないようにしてきているところがありました。

しかし近年、「福祉の施設」で、人目のないところで「虐待」や「暴力」が起こることがしばしばニュースになり、その延長で最も醜悪な事件として「相模原障害者施設殺傷事件」が引き起こされていたのではないかと私などは思います。この最も卑劣な事件を引き起こした植松聖の特徴の一つに、異様に強く「美」を求める傾向があったことは、だれもが指摘してきていることでした。でも、ではいったい「美を求める心」とは何なのかは、そんなに追求されてきたとはなかなか思えないところがあります。植松被告は、入れ墨を彫り、美容整形に深い関心を寄せていたのですが、そこには被告なりの、ある「ととのえ」の美学があって、「言葉、思考、歩行」の「ととのえ」がない人たちは「美」から外れた者たちだと強く思っているところがありました。問題は、といいますか、恐ろしいことは、この「ととのえ」の美学の前では、「ともに」の倫理が、「一旦停止」させられることが起こる、ということでした。

(3)「倫理の一旦停止」——アブラハムの息子の問題

この倫理と美学の対立は、とても古くから「問題」にされてきた経過があります。とくに「アブラハムの息子」のことは、キルケゴールが『おそれとおののき』のメインテーマとして取り上げてから、多くの思想家が取り上げてきました。問題点を簡単にいってしまえば、「アブラハムの息子イサクを神の生け贄としてささげよ」という「神の声」を聞いたアブラハムが、実際に息子を生け贄として殺そうとしたという話です。キルケゴールはそこで「倫理の目的論停止」はあり得るのかという問いを立てました。「神の声」などという非日常の「宗教」の話は、ある意味では「物語/美学」の次元の話なのに、その「宗教/物語/美学」の次元の判断を、日常を生きる「倫理」の次元に持ち込むと、「倫理の停止=息子を殺す」という判断を迫られることになり、それは許されることなのかと、キルケゴールは問うたわけです。

これは、「思想」の問題として語られていた頃はよかったのでしょうが、現実の出来事として起こったのが「オウム地下鉄サリン事件」でした。「オウム真理教」という「宗教／物語／美学」を優先させれば、地下鉄に乗っている人を殺すという「倫理の停止」をしてもいいということになります。吉本隆明さんはこのとき、「宗教」には、「日常の倫理」「日常の善悪」を超える次元があるというようなことを言われて、世論を炎上させました。彼は「倫理学」と「美学」の相容れない価値観の次元を問題にしていたのですが、結局「アブラハムの息子」の問題に触れてしまっていたと思います。しかしこの「地下鉄サリン事件」は、かたちを変えて「相模原障害者施設殺傷事件」になっていったのではないかと私などは感じていました。

そしてのちにみるように「パレスチナーイスラエル」の戦闘にも、この「美学」による「倫理の停止」がものすごく大きな問題としてあったことを考えてみたいと思っています。

(4)『ノートルダムの鐘』の問題

少し話は変わりますが、佐藤さんが芥川賞受賞作『ハンチバック』について書いておられましたので、私もいつか違う形で触れたいと思っていました。今回、今まで書いてきたこととつながりがあるように感じましたので、少し書いてみます。きっかけは私が以前、ある雑誌にアニメ批評を続けていて、ディズニーの『ノートルダムの鐘』を取り上げていたこととかかわっています。

このアニメ版『ノートルダムの鐘』（一九九六年）は、ディズニーアニメの中では異質な作品でした。主人公が「せむし男」だったからです。ディズニー版の原題は『ノートルダムのせむし男

（THE HUNCHBACK OF NOTRE DAME）』でしたが、「HUNCH（ハンチ＝曲がる）BACK（背中）」を「せむし男」と訳すのは放送コードに引っかかるというので、邦題は「鐘」に変更されたといわれています。当時、美男美女の主人公が売り物だったディズニーが、なぜこのような「ハンチバック」を主人公とするような作品を作ったのか、とても不思議がられていました。そして事実、興行成績としてはこのアニメは、まったく振わなかったと言われていますが、でも続編が作られているので、関心を引いたことは確かだと思います。

物語は、一五世紀末のパリが舞台です。迫害される「自由の民」（「ジプシー」をアニメではそう呼びかえています）の「醜い赤ん坊」がノートルダム大聖堂に保護されるところから始まります。カジモドと名づけられたその子どもは、フロローという判事によって、大聖堂から出ることもなく鐘つき番として育てられ、二〇年がたちます。大人になったカジモドはある祭りの日、こっそりと街に出て、ジプシーの踊り子・エスメラルダに出会い、魅せられますが、祭りに酔った民衆は、醜いカジモドを見つけて迫害します。そんなカジモドを、エスメラルダがかばい、それを見ていたフロローは、この二人に対して激しい怒りを覚えます。自分の保護の元に生きてきたカジモドが、勝手に大聖堂を出たことと、美しいエスメラルダが、そんな醜男に好意を示したということに対して。

アニメになった物語は、そんな風に展開してゆくのですが、作品の見所の一つは、なんといってもエスメラルダの造型です。彼女はそれまでのディズニー作品に見られなかった「アラブ系の美女」として作られています。キリリとひき締まった意志の強い褐色の顔立ち、目の色も青く輝く妖艶な眼差しと立ちふるまい、それは従来のディズニーアニメでは類を見ない「特別な美しさをもった女性」として描かれています（ちなみにいうと『ノートルダムの鐘Ⅱ』に描かれたエスメラルダは、別人のような顔立ちの女性になっています）。

多くの観客が、このエスメラルダの「美しさ」にハッとさせられるのは、彼女が「ジプシーの踊り子」という設定にもかかわっています。彼女はジプシーの一員として常に迫害されながらも、意志を強くもって生きるしかないところにいたからです。そんな「ジプシーの美／アラブ系女性の美」に、敵対者であるフロローも魅了され、求愛の苦しみを味わうところも物語の見どころです。

作品のもうひとつの見どころは、いうまでもなくエスメラルドに出会うことで、みずからの「醜さ」に気がつくことになるカジモドです。でも、彼もジプシーの子どもでした。ヨーロッパでは、ユダヤ人とならんで、人々から迫害されてきたのがジプシーの人々でした。そのジプシーのもつ力が、ヨーロッパの人々におそれられ、それが「美と醜」に分けて意識され、そこにエスメラルダとカジモドの造型が当てられていたというわけです。おそらく二人はジプシーの「裏と表」を担っていたように思われます。

ところが、アニメの原作を尋ねてゆくと、アニメには見られない深刻なテーマが見えてきます。原作はビクトル・ユゴーの『ノートル＝ダム・ド・パリ』（岩波文庫）一八三一年でした。フランス革命が一七九五年に終わり、その余韻の中で書かれたこの作品は、当時フランス革命のスローガンとされた「自由・平等・友愛」といった光の側面と、そこから見えてきた影の側面の両方を描く作品を作らなくてはとユゴーは考えていたようです。それが当時のロマン主義の求めていたことでもありましたから。それは、「醜」や「奇形」「グロテスク」「不完全」「野獣」「怪物」のテーマでした。ユゴーは、フランス革命後の「光」と「影」の両方を人々に見せるために、ノートルダム寺院を舞台に、光と影、美と醜、エスメラルダとカジモトの物語を、造形していったのだと思われます。

ここに、フランス革命を背景に、「自由、平等、友愛」というヨーロッパ固有の「ともに」の「倫理」が創造されると同時に、「美/醜」の両方を意識する美学が、ほぼ同時に形成されていたことがわかります。つまり、「自由、平等、友愛」を叫ぶヨーロッパの民衆が、「褐色」のアラブ系の人々や、「醜」なる人々を迫害する美学を同時に作りだしていたというわけです。

(5) ジャニーズ問題

そういうことを考えていた折に、「ジャニーズ問題」が起こりました。二〇二三年の夏から秋にかけて、様々なことが語られてきましたが、その背景はとても深く広く、まだほとんど表だって語られていない問題もあるように私なんかは感じています。そして、その語れていない問題と、今回ここで取り上げてきた問題とが、どこかでつながっているような気がしているのです。

ジャニー喜多川の性加害の訴えから始まった「ジャニーズ問題」は、記者会見を受け、それを黙認してきたマスコミの体質が批判され、ここに来て、「人権」を錦の御旗に掲げる企業からのジャニーズ事務所所属タレントのCM起用の打ち切り、そしてNHKでのジャニーズタレント起用の見直しまでの広がりを見せて、とうとう来るところまで来たかと思われるかも知れませんが、でも、この一連の流れを横目で見ながら、表だって語られない、とても不思議なことを感じています。

それはまさに「ジャニーズ」という初代歌手グループの誕生からはじまる問題です。「ととのった顔立ちの美少年」が、三人や四人のグループで歌うことになり、そのバックにさらに幼少の「美少年」たちがグループでバックダンサーとして加わるという、「美少年」総出演の歌番組が始まりだしたことでした。

この「よくととのった」「可愛く」「美しい」少年たちに群がったのは、獣のような性癖をもった芸能界の男たちだけではなく、世の中のたくさんな少女たちもそうでした。あふれる美少年たちの中に、お目当ての美少年に的を絞るファンクラブがどんどん作られ、彼らの出すレコードやコンサートのチケットを買いあさり、彼ら「美少年」たち一人一人の「虚構の値打ち」をどんどんと釣り上げてゆくシステムに加担してゆきました。娘たちの「推す」美少年のために、毎月何百枚の葉書（ファンレター）を書かされる父親が、ニュースになったりもしました。「虚栄の人気タレント作り」がこうして一九七〇年代に一気に広がります。

そうした「虚栄のタレント像」は、少女たちのなけなしの購買能力に支えられていて、その結果、そういう美少年たちが宣伝する商品が注目をあびることに企業は目を付けることになります。そして、そうなるとどんなに高い出演料を払ってでもジャニーズの美少年を起用せざるを得ないということになり、その美少年タレントに高額の広告料を支払ってくれる企業は、マスコミ、マスメディアにとっても得がたい収入源になってゆきました。

今回「ジャニーズ問題」が「性被害」「性加害」の告発として噴出してきたときに、最も喜んだのは高額のCM出演料を払い続けてきた企業ではなかったかと思います。ここで企業は一斉に「人権」の用語をふりかざし、CM起用は打ちきると宣言していたのですが、高額ジャニーズ出演料と、やっと手を切れる絶好のチャンスが来たと考えたように私なんかには見えました。

ここで、改めて注目したいのは、テレビがカラー化しはじめた結果、テレビに映る「美少年」「美少女」の出演でもって、多くの少年少女、青年層を引き付け、確実になけなしの金を吸い上げる風潮を芸能事務所が創り出したという所です。そして、その購買力に目を付けた企業がその仕組みに参入していったという事実です。

今では「ジャニーズの問題」とは、ずっと以前から性被害に遭った何百人といわれる少年たちの問題のようにされてしまい、少女たちは、「今のジャニーズタレントたちには関係のない話」と言い、むしろ「ジャニーズがかわいそう」と言い、CM起用をし続けてきた企業は、自分たちこそ被害者だというような顔をしてきていますが、実際には「ひとりの等身大の美少年」を、こんなに「巨大な金銭価値」を持った「虚栄のタレント」たちに仕立て上げてきたのは、これまでの膨大な数の少女たちの「推し」であったり、「企業」が商品に必要以上の広告費を上乗せし、その結果、商品の値段を不当につり上げてきた企業体質の問題でもあったのではないかと、私などは思います。

この膨れあがった「美的人間」観が、その後の、「福祉の現場」での「倫理の停止」を引き起こす引き金にもなってきていたのでは、とすら私などは感じるところがあります。こうした「美少年・美少女」を人間の価値の最優先におくかのような風潮を始めた一九七〇年からの「美」の問題を、どのように考えればいいのかは、まだあまり正面切って問われてきていないと私などは感じています。この時代から、タレントに限らず、「美少年・美少女」になるために、少年少女たちが費やす「美容整形への努力」の時間と費用は、少年少女たちのかけがえのない時間をむしばんでいて、それにマスコミ・マスメディアや企業はとても深く関与してきたことに、ほとんど関心を向けられてきませんでした。そういう過程で「美少年」を「性的な餌食」にしてきたのがジャニー喜多川だったというわけですが、ここでは権力をともなった「性的美学」は、いとも簡単に「倫理の停止」を生むということについて少し考えておきたいと思います。それは「美学」が「倫理」を超える事態を考えることとの問題として今でも残ってきていると思いますから。そしてこの問題は、後で少し触れるように、三島由紀夫のような美的作家にも体現されてきたものではなかったかと私などは感じています。

問題はこういう「美少年」や「美少女」を「美しさ」の基準にする思潮にまみれて少年少女期を過ごすと、「美しさ」以外のものを低く見積もる価値観が形成されるというところです。植松聖がいくら「福祉の授業」をうけ、「福祉の資格」を表向きは取得できたとしても、彼の中に育ってしまった「美的人間」優位の価値観を弱めることはできなかったように感じますから。

ただ、ジャニーズファンの中には、アイドルを「神さま」のようだったという人たちがたくさんいます。自分の思春期や青春時代の「しんどい時」を支えてくれたのは親や先生ではなく、美少年の写真やポスターであったり、美少年の歌う歌詞であったり、可憐で見事なダンス姿であったというのも、事実であったろうと思います。片や一気にジャニーズ人気を葬り去ろうとする人たちと、自分たちの青春と共にあったジャニーズを擁護したい人たちと、そのはざまで複雑な思いを抱いている多くの人たちのいるのも、また見逃してはいけないところだと私などは思います。

(6) ジャニーズ問題と『山椒大夫』

少し話を変えますが、「ジャニーズの問題」が起こったときに、すぐに感じたことが二つありました。一つは、「少年愛」とか「男色」とか呼ばれるものにこだわってきた文学者や思想家たちの発言が表だって聞こえてこないことについてでした。それは法的に「同意」してなされる「少年愛」なり「男色」は、正当な性愛であるのに、「不同意」の、無理矢理なされるものは、強姦であり、犯罪であるということから、軽率な発言はできないということだったからかも知れません。が、青年や少年の肉体美を賛歌し続けた三島由紀夫（例えば谷川渥編『三島由紀夫の美学講座』）のことや、稲垣足穂『少年愛の美学』、中島梓『美少年学入門』などに関心があった方々からの発言も聞いてみたいものだと思っていました。あるいは、中世に異様な「少年愛」を見せて残虐の限りを尽くした「ジル・ドレ」を研究し、彼の年代記までを著したバタイユの『ジル・ドレ論』も気になりましたし、少年たちを遊園地のような自宅に集めていたマイケル・ジャクソンの性加害の裁判が一転して無罪になった経過も気になっていました。

そういう「少年愛」を求めてきたさまざまな出来事を視野に入れることなく、「ジャニーズ問題」を「ジャニー喜多川の異常性癖」で、片付けてゆくのはどうなのかと気になります。しかし、気になっても私の力量からはとうてい手の付けられない分野ですので、ここでは、出来事の広がりを指摘することだけしかできません。

そして、私の感じていたもう一つに、『山椒大夫』問題と私が勝手に呼んできた問題があります。そのことになら少し触れることが出来ると思っています。

一九六一年に制作された長編アニメに『安寿《あんじゅ》と厨子《ず し》王丸《おうまる》』というのがあって、私も小学校の講堂で、みんなと観たものです。YouTubeでは今でも予告編が見られます。このアニメには原作があって、それは森鴎外の『山椒大夫《さんしょうだゆう》』一九一五年でした。でもこの小説も、鴎外が参考にした中世の「説経節《せっきょうぶし》」と呼ばれた語り物の『さんせう太夫』という話が元になっています。

物語は、このようにちょっとややこしい経過をへて、私たちに届けられてきているのですが、ここでは、ややこしい経過は横へおいて、今回なぜこの物語を取り上げるのかについて少し説明をしておきたいと思います。

私がこの物語に興味を持ったのは、主人公の年齢が、姉・安寿（一四歳）、弟・厨子王（一二歳）に設定されていて、森鴎外はこの年齢設定で「一三歳」にとくにこだわっていたからでした（村瀬学『一三歳論』）。でも、今回は年齢のことというよりか、この大人への入口にいる少年少女たちが「山椒大夫」という「人さらい」にさらわれ、奴隷にされるという話の展開の方に興味が向きました。ある意味では「ジャニーズ」と呼ばれる少年たちは、この「一三歳」あたりから、「性の人さらい」にあうという体験をさせられているところが、似ていると感じたからです。そして、この辺に『山椒大夫』と呼ばれてきた作品の、意外な現代性があるのではとも感じてきているところです。

ところで私が勝手に「山椒大夫」問題と呼んできたのは、上記のようなことだけではなく、ちょっとややこしいことについてなのです。それは、森鴎外が、元の『説経節』の中にある「さんせう太夫」（佐藤さんも言及されている伊藤比呂美さんの書かれた『新訳　説経節』平凡社が読みやすいです）を改作したその改作の仕方について、岩崎武夫が鋭いもっともな批判を展開していたからです（『さんせう太夫考』平凡社ライブラリー）。

今回はしかしその作品批判の是非を問題にしたいのではなく、いくつも指摘される批判の中のある一点についてだけ考えて見たいと思っています。『説経節』では、山椒大夫が、非道な「子どもの人さらい」をするわけですが、姉は自分の身をかえりみず弟を逃がしたのち、残酷な殺され方をします。そして最後、国司になった弟が、姉の最後を知り、山椒大夫と最も非道なことをした三郎の首を竹ノコギリで切り落としてしまう「復讐劇」を展開させて終わります。ところが、森鴎外の『山椒大夫』では、残虐な場面はことごとく避けられ、最後の場面でも、山椒大夫を許し、その一族はますます栄えたとなっています。

そういう物語の改変は許されるのかという岩崎武夫の批判は当初はもっともなものだと思っていましたし、今でもそう思うところはあるのですが、森鴎外は、そういう批判の起こることは承知の上で、改作をしていたのではないかと、今では思えるようにもなってきています。とくに『説経節』は、中世の庶民の怨念を、せめて「話り」の中だけでも晴らすことを狙いにしていて、最後は「復讐」を遂げることで、語りの聴き手にカタルシスを与えるようになっていたのですが、士農工商の時代が終わった近代の中で、いつまでも「復讐劇」を文学にするようなことではいけないのではないかと森鴎外は考えていたところがあるみたいなのです。なので、あえて「復讐劇」にしないような改作を考えたのではないかと。

つまり、どこかで「倫理の停止」を肯定するような文学を作るのは、近代にとってはふさわしくないのではないかと。森鴎外は、世にいう「大逆事件」（一九一〇年）にかかわる人たちの「死刑」を受けて『山椒大夫』（一九一五年）を書いていることもあり、「死刑」という「倫理の停止」への思いも込められていたように思われます。

こういう状況が今日でもあるというのは、昔の「人買い」が、今日の悪質な「芸能事務所」へのスカウトに似ていて、そこで「性奴隷」のようなことをさせられるというところです。そして一旦、こういう事務所に取り込まれると、逃げ出すことが出来なくなるというところです。

今回、「ジャニー喜多川」の死を契機に、この人からの性被害を訴える人たちが改めて出てきて（すでに以前にそういう訴えをする人がいて、裁判でも、その訴えはずいぶん前に認められてきたのに、彼が裁かれることはなく、ジャニーズ一家はますます栄えるという風になっていた）のが、今回ようやく「記者会見」が開かれ、「ジャニーズ会社の終焉」まで進みました。ここに来て、「性奴隷」のようにして公然と性被害を受けてきた人たちの「恨み」がはらされるような曲面にきています。

でも私は、今回この「ジャニーズ問題」が、新しく降って湧いてきた出来事のように見えていて、実は日本史や世界史の中では、とても古くから「問題視」されてきた出来事であることを多くの人に知っていただきたいと思って、今回『山椒大夫』を例に取り上げてみました。森鴎外は、この作品の持つテーマの奥深さは、「復讐劇」をするだけでは解決しないのではないかと思っていたように思いますから。

(7)『ハンチバック』（市川沙央）から見えてくるもの

佐藤さんの渾身の『ハンチバック』論（『明日戦争がはじまる　対話編』言視舎）を読みました。あらゆる「障害者問題」を考えてこられた佐藤さんでしか書けない批評で、作品論としては、何を付け加えて語ることがあるだろうかと思われる丁寧な批評でした。語れるところがあるとしたら、ほんの少し、作品の内容論ではなく、作品の体裁の作り方くらいになるでしょうか。それも、今まで述べてきたことと関わる範囲内での言及です。

私がまず関心を持ったのは主人公の名前です。もちろん佐藤さんも言及されていた名前で、「釈華」と名づけられています。主人公は少し自虐的に自らを「涅槃の釈華」などと呼んでいます。この自虐のネーミングは、この小説の主題をよく表していると思いました。

一般に「オシャカになる」といえば、「つくりそこなう」「つくりそこなった」ものに対していわれてきたもので、「失敗作」「不良品」になったものをそういうふうに言ってきました。作者の市川沙央さんは、そういう意味を込めて「釈華」と付けられたのか、「聖なる人」という意味で「釈華」と付けられたのかはわかりませんが、たぶん「両方」の意味を持たせているところが大事なのだと思われます。そして「涅槃の釈華」となると、「もう起き上がりもできないオシャカ」というイメージが意識されていることはわかります。そのことを作者は作品の終わりの方でこんな風に書いています。

私はモナ・リザにはなれない。／私はせむし（ハンチバック）の怪物だから。

ここで主人公は自分を「モナ・リザ」と比較させています。「聖女の美」と「怪物の醜」と。

ここで主人公は、はじめて自分を「釈華」と呼ばずに「せむし」と呼んでいます。こういう比較が私にはとても気になります。そして小説のタイトルが、「せむし女」ではなく、なぜ「ハンチバック」とされたのか、ということについても。ディズニーアニメのように「せむし」は放送コードに引っかかる言葉だったからか……。

私は卒業論文にキルケゴールを選択していたのですが、彼を少しでも知っている人には、彼が「せむし男」であったことはよく知られています。そのように描かれた肖像画も残っています。いかなる理由で彼が「せむし」になったのかは明らかにはされていませんが、それが理由で、彼が最愛の人レギーネとの結婚を断念していたことは、青年時代の私には戦慄的なことでした。そういう身体の持つ不遇性というか不具性が、彼の「美的なもの」の考察を誰の考察よりも深めていたことは、私のとても関心を引いたところでしたから。

結局彼は「美的なもの」はどこかで「倫理的なもの」と抵触するという考察をつきつめ、『おそれとおののき』の「アブラハムの息子」のことを書くに至るのですが、このなかで描かれた「倫理的なもの停止」が、彼のレギーネと交わした「婚約の停止」と重ねられていたことは多くの研究者の指摘してきたことでした。

私は今、キルケゴールのことについてなにかお伝えしたいわけではなく、市川沙央さんの小説『ハンチバック』が、「倫理」と「美学」の対比の構図の中で書かれていたことを少し指摘したかったがためでした。一見するとこの小説は重度の障害者の生きづらい現状を描いているように見えて、その描写が当事者研究のような書になっていないのは、そして佐藤さんがどこか哲学的なテーマを持っていると看破されていたような事情は、作品の背後にこれまでに延々と追求（特にヨーロッパ・ロマン主義の台頭が大きいと思います）されてきていた「美女と野獣」という「美と醜」のテーマがあったからではないかと思われます。でも『ハンチバック』の投げかけた問題の「新しさ」は、「美と醜」という立て方ではなく、「醜にとっての美とはなにか」という「問い」であったように思います。

ボーモン版『美女と野獣』でも、ディズニーアニメ版でも、物語の終わりは、美女ベルの愛の力で野獣が美青年に変身するところで幕が下ろされ、「美と野獣」は「美と美」で終わります。ところが『ハンチバック』では、「醜」は「美」にならず、「美」にならないままで、それでも「醜にとって美とは何か」が問われているところだと思われます。そのことが、今回佐藤さんにお伝えしたいと思っている「福祉にとって美とはなにか」というテーマの投げかけなんですね。

このテーマを語るために、『ハンチバック』の作者、市川さんの立てた戦略的な「解決」策があったように思われます。それはご自分でも言われていたように（「芥川賞受賞あいさつ」『文藝春秋』九月号）、芥川賞審査員対策として作品の構成が立てられていた、というところです。

たとえば、作品の出だしは全くのエロ小説風で、審査員の興味とひんしゅくを買うように始められ、それが実は、ネットの体験記事を継ぎ足し発信するネット記事の戯作者の仕事であったことがすぐにわかるようにして展開されます。なぜ書き手の主人公は、そんな戯作者なのかと言えば、そんなエロ事師のようなことが一ミリもできない重度の障害者であることが、そのあとすぐ読者に明かされるからです。審査員はそうだったのかと驚きます。こんな小説は読んだことがなかったと。しかし小説は、進みます。「エロ事」の一ミリも出来ないはずの主人公釈華が、ヘルパーの田中さんに、一億なんぼの小切手をちらつかせて「口淫」をするように仕向けます。そしてその状況でむせかえる主人公がとても「リアル」に描かれているように見えます。でも、呼吸すらおぼつかない重度の「患者」さん相手に、田中さんが本当に勃起したのか、疑わしくなるシーンが描かれ、これもまたネット記事でみる「口淫」の継ぎはぎなのではないかと思わされるのですが、審査員はたぶんだまされて、ここには「事実」が書かれているかのような錯覚を得ていたように思われます。

こうして「生存する」こと自体が困難な人にも、「性の快楽」のようなものを追求しようとするエネルギーがあるんだということを知らされて、審査員は驚嘆させられ、そして、とうとう芥川賞の決定に審査員が動く。作者の狙い通りに「健常者＝審査員」が動いたということ……。たぶん、作者市川さんの狙いは、こうやって「芥川賞審査員」を「醜」の前に屈服させる構図を、賞の受賞という形で実際に体験するところに、「美」を感じるように計画されていたのではないか。「醜」なるものを、最後には「美」に「ととのえる」ことによって感動を与える「美女と野獣」のやり方（たぶんこれがテレビ局の一年に何度か企てる「二四時間チャリテー番組」のやり方なのですが）ではなく、「醜」を「醜」のままで「美」としての「賞」を実際に受けることを見せつ

ける こと……。

でも、市川さんが戦略的に勝ちとったものと、私などが「福祉にとっての美とはなにか」「障害にとっての美とはなにか」と考えている問いは、何かしら近くて遠いような気がしないでもありません。

というのも、市川さんの作品でもう一つ気になるところがありまして、それは、主人公が一億なにがしかの遺産を受け継ぎ、支援施設でも高額の器機を身辺に用意してもらい、読みたい本も揃えられるように書かれているところでした。読者は簡単にページもめくれない主人公のことに思いを強く寄せることは出来るのですが、この一億なにがしかの遺産があるという設定には、いろいろと戸惑います。たぶんこの設定がなければ、ネット世界との接続や、小説執筆の環境も整えることができず、そうであれば、「施設の弱者」として、常に「福祉の保護」の元に言いたいことも言えず、何かを言えば「虐待」の対象にされるしかないような境遇を生きるしかなかったかのようにも思われますから。ここに「金銭」がいかに「美」と結びつき、「貧困」が「醜」と結びついているかがわかるところがあるようにも思われます。

さらにもう一つ気になったのは、「受胎し中絶してみたい」という主人公の「希望」の理解の仕方です。これは主人公の思いに忠実にいえば「中絶したいがために妊娠したい」という事です。やむを得ず「中絶」をする場合があり、その権利を認めよという世界の女性の訴えとは違って、ただ「中絶したいがために妊娠したい」という主人公の「思い」や「言い分」や「夢想」を、どう受け止めればいいのか、という問題です。それを芥川賞審査員はどう受け止めたのかと。

たぶん、はじめから芥川賞狙いの作品を作ろうと考えていた市川さんにとって、この「中絶したいがために妊娠したい」という主人公の思いは、審査員の倫理観を揺さぶるに違いないと考えていたように思われます。そういうことが計算できない人ではなかったように思いますから。

そうすると何が起こるのかといえば、審査員は、これを真に受けると、命の尊厳を訴える人たちや、『母よ！殺すな』（横塚晃一）や「青い芝の会」の思いとぶつかることが想定されます。この問題をクリアするには、これは小説の中の話であって、主人公の「思い」は、作者の思いとは別なものとして考えるということです。そうすると、ここにあるのは「美学の世界」の話であって、「美学」の中では、どんなに倫理的に非難されることでも、「倫理の停止」が許され、認められ、「最高の文学賞」すら与えられる可能性が出てくることになります。

そうなるとまたここに「美と醜」の問題と「倫理の停止」の問題がクロスして出てくることになるのではという気がしています。

ここで村瀬はどう考えるのかと問われると、私は作者市川さんのよく考えられた作戦の勝利のように感じています。それは「中絶したいがために妊娠したい」というような、誰も言ったことのないような「暴言」を吐くことを、審査員＝読者に考えさせるようなことを迫り、これが「事実」の問題ではなく、ただの作中人物の発言に過ぎないような「物語」にさせて、ではどう受け止めればいいのかを熟思する時間がとれないうちに、芥川賞を決定せざるをえないようにしてしまうという不気味な戦略の勝利のようなことを。

(8)「パレスチナ－イスラエル」の問題

そのこと（「事実」か「物語」の問題）を改めて感じたのは、この『ハンチバック』が旧約聖書の「ゴグとマゴグ」のことに触れているのを読んだときでした。二〇二三・一〇・一一突如、パレスチナのハマスがイスラエルに大規模な攻撃を仕掛けてはじまった殺戮の戦争。このことが始まって『ハンチバック』、が書かれたわけではなく、全く偶然に「ゴグとマゴグ」のことが作品に取り上げられたことは、不思議を通り越してここにも不気味さを感じます。

私が、「ゴグとマゴグ」のことを知ったのは、学生の頃『ブーバー著作集』を古本屋で探していたときでした。薄い著作集の中に、たった一冊、倍ほどの厚さの本として『ゴグとマゴグ』と題された本がありました。表紙には水に濡れたような大きな染みがあり、そのためにとても安くなっていたので買い求めました。でも中身が旧約聖書エゼキエル書の「ゴグとマゴグ」をナポレオン時代のポーランドに見立てて書いた「物語」だと知って、興味が湧かず読みもしなかったことをよく覚えています。

のちにこの「ゴグとマゴグ」は、旧約聖書としてではなくヨハネの黙示録（二〇章六）のなかで取り上げられている話として有名であることを知りました。物語は『ハンチバック』が引用している通りの話です。要約すれば、マゴグ（地名）にすむゴグという首長が、完全武装した大集団を率いてイスラエル人の住む土地に攻め込んだその日、主なる神が激しく憤り、天から火をふらせ、彼らを焼き尽くしたという話です。ヨハネ黙示録では、イスラエルを襲ったものたちは「獣」と表現していました。

ブーバーは、この太古の物語のゴグを、ポーランドのユダヤ人に襲いかかったナポレオンに見立てることで、この物語が決して「過去」のものではないことをユダヤ人に知らせようとしていたのでしょう。

今回のハマスの攻撃は、まさにイスラエルの人々に、「ゴグとマゴグ」を思い出させる出来事であったように思われます。そこで「主なる神」は、「天からの火」で彼ら「獣」を「焼き滅ぼした」とするなら、まさに今そのようない「怒りの反撃」をイスラエルがしているのだという事になります。

しかし「ゴグとマゴグ」などはたかが「物語（美学）」ではないのかということはできます。でも、その「美学」を「事実」とすりかえるがために、「ともに（倫理）の停止」はやむを得ない、ということになっているようにも見られます。そしてそのことは、十月十一日にイスラエルに攻め込み虐殺行為をおこなったハマスの教えにも見られるところですので、ここには「美学」と「美学」の相容れない「倫理の停止」が引き起こされているとも考えられます。

そして戦争の背後に「物語（美学）」が深く関わっているというのは、かつての日本軍の戦争に「古事記の中の天皇の物語」が巨大な力を持っていたことと、とても似ていると思いました。

しかし、ローマ帝国に追われ「離散の民」として世界中に散らばっていったユダヤ人が、エルサレム近郊の「シオンの丘」を故郷として教え続けた「シオニズム」の教えは、「古事記」の物語とは違った意味で、強烈な「故郷奪還」の執念になっていったように思われます。

難しいのは、この「奪われた故郷」と「故郷を取り戻す」という動きの、ある部分は「歴史的な事実」の側面を持ちながら、同時にそれは「物語」の側面をもっているところをどのようにわけることができるのかという問題だと思われます。同じように広大なパレスチナ一円に住んでいたアラブの人たちにとっても、そこは「故郷」であり、その「故郷を奪われた」からには、どうしても、取り戻さなくてはならないということになり、そこには「イスラム教の教え」が戦いの導き手として都合よく利用されていく面も出てきます。

パレスチナの人々への密かなインタビューでは、ハマスの起こす過激な戦闘のたびに、その何十倍もの反撃を受け、土地を奪われ続けてきたので、彼らを支持していないにもかかわらず、彼らに逆らうことのできない独裁の政治が張り巡らされていることも訴えていました。それはイスラエル側の住民の中にも起こっている感情で、武力で押し切る軍事政権をよしとしている人々は決して多くないように思えます。おそらく庶民の感覚（「ともに（倫理）」）をもっている人々の間では、それが本音なのだろうと思われます。が、いったん「物語（美学）」によりどころをもとめると、とたんに平然と「倫理の停止」を支持する方向に動いてしまう。

だとすれば、なにをすれば良いのかと問われることになるのですが、情けないことに、なにか良い知恵のはしくれも持ち合わせていない自分を感じています。ここでもし話を少し戻すことができますなら、『ハンチバック』の著者は、作品の最後に唐突になぜ「ゴグとマゴグ」の物語を引用したのかと問うてみることで、少しは何かがみえてくるのではという期待を持っているところです。なんの注釈を加えるわけでもなく、突然にぶっきらぼうに作品の中に引用される「ゴグとマゴグ」の物語。どういう意図を込めて著者はこのようなことをしたのかと。そのことは、著者がいったい「ゴグ」を誰に見立てていたのかという問いにつながります。

私が読み得た限りでは、「ゴグ」は健常者と呼ばれる人たちや、芥川賞の審査員たちであったような気がします。そのものたちが「イスラエル＝釈華」に攻撃を仕掛け、今怒りとともに「ゴグ」への反撃が始まった……。そこにはなにかしらの「復讐劇」が仕掛けられている。

おそらく、いまの「パレスチナとイスラエル」の戦闘で、求められているのは、「復讐（倫理の停止）」を声高に叫ぶハマスや、イスラエルの百倍返し軍事政権の、そのお互いの戦争理由に関心もつだけではなく、「復讐」を求めない両国の民衆の声を、マスコミは取り上げ続けることではないかという気がしています。恐ろしいのは、すべてを解体させられてゆくハマスの背後にいるイランやロシアの軍部が、ハマスを使ってイスラエルの原子力施設を攻撃する可能性についてです。

「ゴグとマゴグ」の美学では、「イスラエルの神」は天からの火でゴグの集団を焼き滅ぼしたとされているように、今度は逆に「イスラムの神」の美学が、原子力施設を破壊し、エルサエムを死の灰で覆うようにさせるのではないかという、巨大な「倫理の停止」を予感させる動き。そこにお互いを「ゴグ」に見立てて抹殺し合う究極の「実験」を見せられているような気持ち悪さを感じています。

＊

追記。いい年をして「ジャニーズ問題」に関心があるのと言われそうな中で、今年半期に起こった大きな出来事のすべてに、どこかつながっているところがあるのではないかと思ってきました。ローカルで陳腐に見える出来事に、世界史の縮図があるのではないかと。十分な考察には至っておりませんが、どこかしらで佐藤さんの関心と交わるところがあるのではと感じています。とくに『飢餓陣営　五七号』の「水田恵―佐藤幹夫」往復メールの両方で問われていた深刻な問題、それを佐藤さんは「なぜ障害者施設の運営者や職員があれほど非道な暴力の行使者となるのか」と要約されていた深淵な問いにかかわるところがあるのではないかということについて。

（二〇二三年一二月一日）

〈第九信〉佐藤幹夫

映画『月』をめぐる批判、その「差別糾弾の論理」への異論

(1)「表」と「裏」について

村瀬さん。ジャニーズ問題が少し鎮静化し始めたかと思うや、こんどは、自民党の清和会（安倍派）を中心とした、パーティー資金の裏金問題が噴出しています。

社会と政界を激震させる大事件が起きるたびにいつも感じることですが、これだけの事態になっても暴動が起きるわけでもなく、分刻みの電車は正常運転を続け、株価もそれなりの状態を保っている。社会も経済も維持されていく。だから日本は安全なのだ、これこそ日本人の美質だ、とそう考えるべきか。あるいは、どれほど非常識な事態が将来しようとも唯々諾々と受け入れ、すっかり牙を抜かれてしまった、と嘆くべきなのか。

ともあれ、統一教会問題にしても、ジャニーズ問題にしても、今回の清和会裏金問題にしても、信者やタレントや納税者という存在を〝食い物〟にして自身は肥え太っていくという「裏」の問題が、ここにきて噴き出し始めたという印象があります。さらには、戦後の自民党政治にまつわる宗教とカネの裏歴史が、芸能の裏面史が、いずれも総決算されるような意味合いを帯びている、間違いなく戦後史の何たるかが凝縮されていないか、と感じさせる点も、私には共通する特徴のように感じられます。

本来ならば宗教も芸能も政治も、人に安寧と楽しさと安心を与える、とても重要な営みであるべきものです。しかしそこでは巨額のカネが動く。だからこそ付けこんで、徹底して悪用しようとする人間にとっては、これほどうまい「儲け話」はない。信者もファンも納税者も、要するに「いいカモ」でしかなかったわけです。宗教や芸能や政治に向って、「物事には表もあれば裏もある」などと、この年になっていまさら言うのも恥ずかしいようなものですが、こんなにも見事に裏と表がクリアカットされて世間の目にさらされていいのか、とかえって危惧をおぼえるほどです。

昔、拙著のなかで、「自閉症の人たちは嘘をつかない、心が純粋だ」と、ときに言われるが、それは少し違うのではないか。人間が本来的に持つ「自―他」の二重性という内的自己を彼らは持ちそびれており、それが自閉症と言われる人たちの最大の特徴である。その特徴ゆえに、「嘘をつかない」のではなく「嘘がつけない」のであり、「裏表」がないのではなく「裏表」をもてないのだ。そして「嘘がつけない」「裏表がもてない」というそのことこそが、ときに、彼らの葛藤や大きな苦しみをもたらす。――そのようなことを書いたことがあります。裏の出来事が、こんなふうにして次々と暴かれていく事態を前にしながら思い起こしたのは、自閉症の人たちのそんな特徴でした。

いうまでもないことですが、統一教会、ジャニーズ、清和会、それぞれの問題が徹底した解明をなされることの重要性は言うまでもありません。現在も進行しているはずの裏で企まれている悪事は、暴かれ、裁かれなくてはならない。そのこともまた当然です。しかし、世の中から「裏表」のすべてがなくなったならば、それはまたそれで、人間に別の苦しみや不当性を与えるのではないか。この間の様々な大スキャンダルを横目にしながら、私が考えていたのは、そんなことでした。

もちろん、社会からも人間からも、そんなに簡単に「裏表」がなくなるはずはありません。表があれば裏がある。裏にはそのまた裏がある。さてはて、どこからどうこの問題を考えていけばよいのか。村瀬さんからのメールが届いたのは、ちょうどこんな時でした。

(2) 「ともに（倫理）」と「ととのえ（美学）」と、個人的な経験

一読し、ちょっと驚きました。私がぼんやりと考えてきた「裏と表」問題が、「ともに（倫理）」と「ととのえ（美学）」という村瀬さんらしい着眼から光をあてられているのです。いわゆ

るシンクロニシティです。私の中のモヤモヤが、「なるほど、こういうふうに考えればよいのか」と腑に落ちました。

村瀬さんが、「障害」をもつ子の給食のお手伝いをしていたAちゃんが「よだれ」が気になり、自分の給食を食べられなくなった、というエピソードを読んだとき、教員時代のある経験が呼び出されたという、そこから書きはじめてみます。

一つは私よりも少し年少の、教員時代の同僚の話です。どんな経緯だったかは忘れましたが、ある酒席で、「自分は子どもたちと作った調理が、どうしても食べられない」と、ぽつりと漏らしたのです。「教員になってすぐの頃は給食も食べられなかった、見つからないように何度かもどしたことがある。給食は何とか口にできるようになったけれども、一緒に作る調理だけはどうしても食べられない」と言うのです。そして「自分は、（特別支援学校の教員という）この仕事に向いていないんじゃないか」とも言います。

同席していた同僚たちからは、あなたは気にするタイプだし潔癖症のところがあるから。そのうち慣れるからもう少し頑張ったほうがいい、と励ますような言葉がかけられていました。すると年長の教員が「だれでも最初は気になる。けれども子どもたちのことをしっかりと受け止められるようになれば、やがて気にならなくなる、そうやってみんな一人前になっていく」と諭すように話し始めました。居丈高に説教じみたことを言う方ではなかったし、打ち明けた側も、教員としての自分の至らなさゆえ、というニュアンスで話していたので、みんな頷いていました。私はうまい言葉を思いつけないまま、そういう問題なのかな、と思いながら聞いていた、そういう体験でした。

少しだけ加えれば、小学部の低学年の子どもたちは、調理学習のさい（そのときは「トン汁づくり」でした）、いわゆる重度の子たちは、道具（調理器具）の使用はままなりません。そこで、茹でたキャベツやこんにゃくを手で千切って具材とし、そのことで学習に参加してもらおうという組み立てをしていました。同僚は、熱を通すからとはいえ手づかみでの作業になる、というところで最大の立ち往生をしていたわけです。

もう一つありました。私の勤務先の近隣の小学校が、特別支援学校との「交流教育」で県の研究指定を受けたといい、どう取り組んでいけばよいか校内で話し合いをもちたいので、助言者として参加してほしい。そういう要請を受けました。私ともう一人がそこに出席することになったという、そのときのことです。

テーマは子どもたちへの「事前指導」をどうするか。最初はなかなか議論が弾まなかったのですが、私は「事前指導も何も、遊ぶなりとにかく一緒に活動をすれば、後は子どもたち自身が解決していくだろうから、とにかくやってみればいいんじゃないか」と考えていたのですが、どうもそういうわけにはいかないようでした。不安の中身がどんなものか、少しずつ見えてきたのですが、それは次のような事情でした。

支援学校の子どもたちを見て、失礼なことを口にするのではないか。それこそよだれの問題、服装や容姿や姿形、歩き方をはじめとする行動面、感じたことをそのまま口にしてしまうのではないか。失礼なことは言わないようにさせたいが、ほかに何か注意すべき点はないか。そう言います。それを伝えるのが「事前指導」であると考えているようで、そのことが、私たちが招かれた最大の目的のようでした。

「そういう事前指導はおかしい」と、私は感じました。子どもたちが素朴に、素直にどんなことを感じるか、むしろそれが大事なのではないか、そこから始めるべきで、あらかじめそれを封じ込めてしまうのは違うのではないか、とそんなことを考えたのです。しかし、ここで私自身の考えを前面に押し立ててしまうことは、それこそ村瀬さんが書いておられるように、「不穏なこと」になりかねない。

この教員たちにとっては、支援学校の子どもたちが、汚いとか気持ちが悪いとか、そのような「失礼なことを言われる存在」であることが、あらかじめ前提とされている。これこそ、支援学校の子どもたちに対する偏見であり侮辱でしょう。そして、自分たちの子どもの「受けとめる力」や「解決する力」を、信用していない。自分たち教師集団よりも、子どもたちのほうがはるかに豊かなかかわりを作り上げていくかもしれないという、そういう眼差しも皆無です。要するにこの程度の「子ども観」や「障害観」しか持ち合わせていないわけです。

しかし、真意がうまく伝わるとも思えない。説明しようとすれば、かえって不安を強くするかもしれない。つい勢いに任せて、「それこそ「障害」を持つ子どもたちへの侮辱ですよ」、などと口走り、ぶち壊しにしかねない恐れもある。そんなわけで、「心配しなくても大丈夫だと思います」とだけ答え自粛した、そんな経験でした。

いわゆる「仲良し学級」が設置されている小学校なのですが、聞けば、そこに在籍する児童たちと、ほとんど接触を持ったことのない教員が多数。小学校教員と言えども、この程度の「障害観」しか持ち合わせていないのか、いやそもそも、これほどまでに関心を持たれていないのかと、そちらの方が私の気持ちを重くさせました。勤務先へ戻る車のなかで、乗り合わせていた同僚が「問題は子どもたちより、先生たちの方だね」と漏らしたのですが、同じことを感じていたんだな、と思ったことを覚えています。

「分離教育の是非」といった問題はここでは置きます。そのうえで言えば、「交流学習」は児童のみならず、教員集団にとっても「障害」を持つ子どもたちと接触を持つ数少ない、貴重な機会です。私がいかに不満を感じていたとしても、自分の思うところをぶつけて対立を深めてしまうことは、逆効果にしかならない、場合によっては、面倒な注文ばかり付けられた「不愉快な体験」として残りかねない。それでは本末転倒になってしまう。そんなことを考えたのでした。

どちらもともに、三〇年以上も前の話ですが、この元同僚と交流学習というこの二つの事例に、「ともに（倫理）」と「ととのえ（美学）」という、村瀬さんが示してくれた問題の構図が分かりやすく表れています。若い同僚は「ともに（倫理）」と「ととのえ（美学）」が衝突を起こし、強い葛藤を生んでしまった例として。教員集団のほうは「ともに（倫理）」をまず前面に立て、事前に「ととのえ（美学）」に蓋をすることが、「事前指導」だと考えていた例として。

津久井やまゆり園事件の後、「本音と建前」とか「内なる植松」「内なる優生思想」といった言葉で語られてきたことの根っこには、探っていけばこの問題がある。おそらくは教員にしろ福祉職員にしろ、障害当事者とかかわる人たちは、どこかで、なんらかのかたちで、この問題にぶつかっている。

村瀬さんが提示してくれた「ともに（倫理）」と「ととのえ（美学）」という問題設定を、私なりに言い換えれば、次のようになるでしょうか。人間は「快‐不快」や「美‐醜」「優‐劣」「好‐悪」といったことがらへの価値感情を抜きがたく内在させています。「貧‐富」に対する価値観も、ここに加えてもいいかもしれません。これらが、「ととのえ（美学）」という村瀬さんの指摘の具体的内容をつくっている。

「ともに（倫理）」とは、人権とか共生とか障害者差別解消法とか、公的な用語や理念をふくむものですが、ではそれを前面に押し出して、「ととのえ（美学）」を封じ込めれば問題は解決するのかといえば、どうもそうではない。差別を解消できずにいるのは、「ともに（倫理）」がいまだ不十分だからであり、これを徹底すれば、問題は解決するのかと言えば、そんなに簡単なものではない。障害をもつ人たちの作業所やグループホームをつくろうとすると、地元住民の反対運動が起こる。「私たちは差別はしません。でも私たちのそばには来ないでほしい」というロジックが、決まってそこには姿を見せる。まさにこの問題が内在しています。もっと根の深いところに問題の在りかがあることを取り出し、そこに降り立って、村瀬さんらしい着眼からこの問題を考えようとしている。それが今回いただいたメールの「肝」なのではないか。ひとまずそんなふうに私は受け止めたのでした。

さて今回の『飢餓陣営』（五八号）では、石井裕也監督の作品『月』をどう評価すればよいのか、その「評価のしかた」はどうあればよいのか、その点を一つのテーマとしています。映画『月』のオフィシャルサイトからコメントを求められたとき、色々なことを考え、そのうえで引き受けようと決断したのですが、そこで考えたことが出発点になっています。私のこの村瀬さんへの返信は、それを念頭に書かれています。うまく着地できるかどうか心許ないのですが、ひとまず遠回りをしたいと思います。

(3)「差別」の問題を、どこからどう考えていけばよいのか

村瀬さんは私などよりもはるかに身をもって体験してこられたと思いますが、一九七〇年代や八〇年代、いわゆる「差別問題」に足を踏み入れることは、かなりきつい事態にぶつかることでした。秋田にはいわゆる被差別部落というものは存在せず（かつてエミシの住む東北という僻遠の地全体が討伐の対象であり、「中央」からは差別や侮蔑の対象でしたから、わざわざ被差別部落などをこしら

え上げる必要もなかったのでしょう）、したがって「同和問題」のなんたるか、私は高校生になって島崎藤村の『破戒』を読むまでまったく無知でした。一読後も、どうしてそれが〝大問題〟になってしまうのか意味が分からない、としか受け止めようがありませんでした。

そんなわけで同和問題について言及する資格はないのですが、一方で、「障害」や「障害をもつ子どもたち」や、そこに根深く絡みついてくる「差別」の問題をどう言葉にできるのか、それは強い関心事として持ち続けていました。

やがて、次のような事情が見えてきました。差別を批判する言論が、ある筋から「足を踏まれたものの痛みは、踏まれたものにしかわからない」と批判され、逆にそこに隠れている差別意識が指摘され、糾弾されてしまう。その典型例が「差別語狩り」と言われる事態だったわけですが、当事者以外の人間や部外者は、厳しい批判を受けて門前払いをされてしまう。「差別」を批判する当事者の側が高いハードルをつくり上げ、それをクリアできなければ論じる資格はないというように、そこに加わろうとするものを排斥しつづけている。それが、私の眼に見えてきた「差別」をめぐる言論の状況でした。

「障害者問題」も同様です。かつて、今を時めく女性学の大先生が、「自閉症」という言葉の使い方が不用意で不適切だとある団体から強い批判を受け、謝罪と撤回に追い込まれたという〝事件〟がありました。「障害」や「障害当事者」のことについて何事かを書きたいと考えても、このように、うかつには近寄れない、部外者にはなかなか手が出しにくい。そのような時期が長く続いていたことは、村瀬さんのほうがはるかにご存じだろうと思います。

ではどう書けばいいのか。「障害者こそ素晴らしい」というステロタイプの言論も、私の生活実感にはフィットしない。世の中のあちこちにある差別現象を拾い出し、そこに批判を加えていくというような糾弾の論理も、自分の言論のスタイルとしては採りたくない。どちらでもないような「障害者論」は、どうすれば可能になるのか。そうやって暗中模索を続けていたのが、私の八〇年代と九〇年代だったと思います。やがて大きなヒントを得ることになる、二人の著者に出会うことになります。

そのお一人が村瀬さんです。『初期心的現象の世界』と『理解のおくれの本質』という二冊の著書に出会ったときの驚きは、何度も書いていますので繰り返しません。必要なことだけを言えば、「知恵おくれ」とか「自閉症」とか「てんかん」とか、そこに見られる〝こころの現象〟が、「異常児心理」（当時はこんなふうに呼ばれていました）や、障害児教育や、医療や福祉の対象としてではなく、人間の心理現象一般に還元されて考察されている。〝人間をめぐる思想〟として、「障害」についての洞察が語られている。「障害論」であることが、同時に「人間論」になっているのです。

驚きました。こんなふうに考えることができるのかと、展望が開けました。村瀬さんの基本的な発想のあり方は、今回の「福祉にとって「美」とはなにか」でも存分に発揮されています。

そしてもうひと方が哲学者の竹田青嗣さんであり、その「在日論」でした。当時施設職員だった村瀬さんは、いわば支援者として、〝良き隣人〟としてこの問題をどう考えるのか、という視点から。竹田さんは、自身が「在日」であることによる「被差別当事者」として、その考察を一貫しているというように立場の違いはあるのですが、ある点で共通していました。

村瀬さんにあっては「障害／健常」「異常／正常」という二項対立が解きほぐされています。竹田さんにあっては「差別／反差別」「日本人としての同化か民族回帰か」というような二項対立をどう克服するか、その点が明確に主題化されていたのです。私は、なるほどそこにこの問題のポイントがあるのか、と大きなヒントを得ることになったのです。では、どのような私自身の「障害者論」を書けば、それが可能になるのか。『ハンディキャップ論』（二〇〇三年）を書くまでの一〇年の、私の思想的な最重要課題はそこに向けられていたと、いま改めて感じます。

(4) 竹田青嗣さんの「在日論／反差別論」について——思想の「二階」の問題

では竹田さんはどんなふうにして論を展開していたのか、その点について紹介してみます。これは湾岸戦争を論じた文章なのですが、竹田さんは次のように論を進めます（以下、引用は、「わたしたちは湾岸戦争の「当事者」だったのか?」『竹田青嗣コレクション1　エロスの現象学』海鳥社、一九九六年）。

〔自分は在日で差別される立場にあるが〕差別されている人間がもし仮に、差別が完全になくなる状態、正義が完璧に実現される状態がこなければ生きていてもかいがないと思っているなら、彼の人生は生きている間中絶望的な状態です。そうではなくて、こちらが差別を受けて苦しいということを日本人に伝えて、それを聞いた日本人が「なるほど、それはちょっとひどいね」と受け止めてくれるならば、彼は希望を持てる。自分の苦しさが相手に伝わって、自分の状態が少しずつでもよくなっていく可能性がその社会にあるときに、人は生きることに希望が持てる。人は、ある可能性によって生きるわけです。

そして加藤典洋さんの言葉を借りて、これは、「思想の一階の問題」だといいます。ではどのように伝えるか。自分がどのように苦しんでいるかを、「在日朝鮮人自身が正しく異議申し立てをするということです。正しくというのは、ある日本人がその異議申し立てを聞いてなるほどと得心し心が動くということです。そして心が動かなければ、人はいくら差別の告白を聞いても「ピンとこない」」。

「ピンとくる」ような異議申し立て、その思想、それが「一階の問題」なのだが、そこを素通りし、いきなり十階に昇ってそこでばかり議論をしている、それが、湾岸戦争の際に多く見られた言説である。そのことへの批判というのがここでの趣旨なのですが、ご覧の通り、「差別問題」と重ねるようにして、竹田さんは語っています。

引用を続けますが、「倫理的な原理とエロス的な原理」といい（これはまさに村瀬さんの「ととのえ（美学）」と「ともに（倫理）」という問題の立て方と符合していますね）、さらに、次のように書きます。

人間というものは誰でも、自分がいかに楽しく生きるかというエロス的な原理と、社会の中で最低限、他人に迷惑をかけないためにこのことだけはやらなくてはいけないという倫理的な原理とを持っているわけですが、倫理的な原理からエロス的な原理を引き出すことは不可能です。必ず、エロス的な原理から倫理的な原理を引き出すのでなければならない。しかしほとんどすべての不正義の告発は、まず最初に倫理的な原理を立て、それをするのが人間として当然だと主張します。（前出）

しかし、倫理を押し立てた（十階での）「不正義の告発」を続けているだけでは、得心するようなかたちでは届かないと述べているわけですが、私が「障害者論」を書きはじめたときに、まず念頭に置いたのはこれらの点でした。

「差別／反差別」の二項対立を解きほぐすような議論をどう作れるか。「障害者差別は不当である」というように、いきなり「正しさ」を押し立てて論じるのではなく、これは「自分の問題である」と広く納得してもらえるようなロジックを、どう作ることができるか。なぜそのことが重要か。

(5)「告発」や「糾弾」とならない差別克服の論理を

竹田さんはもう一つ、「囲い込み」という言い方でこの点を指摘しています（「「少数者論」の再検討　その可能性と条件」『竹田青嗣コレクション1　エロスの現象学』海鳥社、一九九六年）。

わたしははじめに、現在の「少数者論」が、差別や不平等の現象の指摘、告発、糾弾というところに収斂せざるをえなくなっているのではないか、と述べた。その根本の理由は、「少数者」による「異議申し立て」が、ある理念に対する思想的な克服（たとえば自由主義社会の理念を社会主義によって克服する）を目指すものではなくなり、タテマエ上誰もが認める理念（開かれた市民社会の理念）を前提とするために、その現実上の〝遅れ〟や〝自覚の足りなさ〟を「告発」、「糾弾」するというかたちにならざるをえないからである。そしてまさしくこのような「少数者論」の現代的前提が、先に見たような差別の「囲い込み」という新しい困難を生み出しているように思える。

差別という「不正義の告発」が、糾弾の色合いを濃くすればするほど、二項対立は先鋭化してゆく。「告発」に同調する少数者（当事者のみならず、彼らを支援する施設職員、特別支援学校教員、学者という、いわゆる専門家をふくむ人々）による「囲い込み」が、さらに進行する。囲い込まれれば囲い込まれるほど、多数者（この問題の部外者でありシロウト）にとっては、ハードルがあがってしまう。「お前こそ差別者だ」と糾弾されかねず、「うかつには近寄れない」事態が進行する。

それでは、「障害当事者」や「差別」をめぐる言説は、いつまでたっても成熟しない。この点が、私が村瀬さんの「障害者論」や竹田さんの「在日論」から学んだ、重要な点でした。ここでのお二人の仕事からすでに四十年ほどの歳月が過ぎており、あるいは事態はもっともっと過酷になっていると指摘されるかもしれませんが、しかし私には今もって十分に状況に対峙しうる思想が展開されていると感じます。

(6)「壁」の向こうの「関心も同情も善意もない人たち」

そして、ここから私のなかにある格率（行為の基準）ができあがっていきました。それは『ハンディキャップ論』や『自閉症裁判』という自身の著書を、専門書としてではなく、ノンジャンルの、いわゆる商業出版からの刊行にこだわり続けるということです。

福祉や特別支援教育といった専門領域にいる人々にあっては、曲りなりにも「言語」は共有されています。自閉症と言い、多動と言い、問題行動とかパニックと言えば、どんな事態で、なぜそれが引き起こされるのか、そこに潜む微妙さを含め、ある程度の理解は共有されています。

ところが一般の読者はそうではない。言語や認識は共有されていない。「障害」の問題にも、まして「障害と犯罪」という問題にも関心を持たない人が圧倒的多数。善意も同情もありません。むしろ反感や反発を隠さないケースさえ少なくありません。そこでは言語が共有されていないことが前提です。そのような読者のいる場所が自分の主戦場だと決めていたのですが、どうしてかと言えば、この問題を「囲い込まない」ためです。そしてその分、反論や反発は厳しいものとなります。しかも両者の側から。

『自閉症裁判』を刊行したのち、講演に行くたびに、少数者の側（先ほど書いたような当事者や支援者を含む関係者）からは、「自閉症や障害者の人たちは怖い、という偏見を植え付ける」「自閉症の人たちの苦しさがわかっていない」「障害者は被害者になることの方が多いのに、なぜ加害者だけを取り上げるのか」といった批判が集中しました。「教員は世間知らずの人が多いから、福祉現場の大変さは分からない」、といった批判を向けられることもありました。

そして多数者の側からは「障害があろうとなかろうと、同じように罪は裁かれるべきだ」「障害者だから罪を軽くしてくれという主張はおかしい」「危険な障害者を野放しにしておくべきではない」といったように（私からすれば見当違いも甚だしい批判なのですが）、両者から批判が向けられるのが、『自閉症裁判』を刊行した当時の状況でした。

一般のメディアでは、純然たる福祉を主題にした本や「感動もの」ならばともかく、「障害者」とか「自閉症」と書くことさえ反発を招きかねない時代です。まして「障害者による重大加害事件」など、タブー中のタブーだったでしょう。

以降も私は、両者からの挟み撃ちを覚悟で、一般の「犯罪ノンフィクション」「法廷ドキュメント」という立ち位置に固辞し続けてきたのですが、そこには次のような理由もありました。さらに竹田さんを引きます。

かつて自分が在日朝鮮人であることを自覚したとき、わたしは周りの友人たちや知人たちから、「自分たちはどんな差別にも反対する」という言葉を聞いた。むろんこのような知己を多く持てたことはわたしにとって幸運なことだったと思う。だが一方では、このような「善意の声」の向こう側に、この声が決して届かない大きな俗世間の壁が存在することは、わたしにとって動かせない実感でもあった。そしてこの実感は、わたしの世界像の底にたえずどんよりした「絶望」を滲ませていた。

現在、「どんな差別も存在すべきでない」という言葉は公認された理念となったが、この公的な理念はおそらく深いところでは「少数者」に希望を与えないのである。〝俗世間〟とは、つまり、理屈と実際は違うと感じ、「現実」がこうであるということには大きな理由があると考える、リアリズムの世界である。この一般の人間が生きているリアリズムの壁を破って、差別の「無根拠」さと無用さを彼らが内的に了解するような「言葉」を生み出すこと、おそらくその〝可能性〟だけが、「少数者」の生に（その世界像に）深い希望を与える。（前出）

少しは自分の言葉で述べたらどうかと、村瀬さんに叱られそうです、私が自分の書くものが何よりも誰に届いてほしいと考えるか、ここに明瞭に示されています。私の声などはおそらくは届かないだろう、壁の向こうの膨大な存在です。無謀であることは承知しつつも、そのことが、ここに至るまで自分に課してきた大きな宿題でした。

まとめてみます。

二項対立を強めてしまう「糾弾の論理」を避けること。かくあるべきという「倫理」や「正義」からいきなり入るのではなく、深い納得や得心に届くような「一階からの議論」を心がけること。「障害」や差別のことなどにはほとんど関心のない、声の届きにくい部外の人にこそ、言葉を届けようとすること。――これが、お二人の「障害者論」や「在日論」から、私がつかみ取ってきたものでした。

(7) オフィシャルサイトのコメント執筆を引き受けた訳

さて村瀬さん、ここに至ってやっと、映画『月』の評価をめぐる問題に入れそうです。オフィシャルサイトからコメントを求められたときに何を考えたか。村瀬さんには公開された直後に紹介させていただいていますので、すでにお読みになったかと思うのですが、私のコメントの全文を引用します。

以前、「辺野古・フクシマ・やまゆり園」というタイトルの原稿を書いたことがある。いずれも戦後の長きに渡って、私たちの社会は、ここにある過酷な現実を「なかったこと」にしてきた。豊かで快適な暮らしを送るためである。

ところがある時期から、その現実が「目をそらすな」と叛乱を起こし始めた。津久井やまゆり園事件という、重度障害者施設やそこで暮らす人々の問題もそうである。私などのようにこの業界で50年も生きてきた者にとっては、今ごろになって「重度障害者が…」などと騒がれると、皮肉の一つも吐きたくなるのだが、ともあれ、まずは本作を観ていただきたいと思う。

賛否はいろいろとあるだろう。自分の中のどろどろしたものが引き出され、顔をそむけたくなり、つい席を蹴って立ち去りたくなるかもしれない。それでも最後までここに描かれた現実と（つまりは皆さん自身と）、向き合っていただきたいと思う。

私がぜひとも注目してほしいと感じたところ。俳優さんたちの「虚実」のあわいで揺れ動く、むしろ苦悶さえ感じさせる表情（これまで、「キレイゴト」をめぐる不安や怖れがこのように演出された例を、私は知らない。この映画は「表情」の劇ではないかとも思えた）。そして時に映し出される、重篤の障害をもつ当事者の人たち。彼らは自身の「存在そのもの」を訴えるような、まっすぐなまなざしをこちらに向けていた。私は、よくこんな絵が撮れたものだと、しばし感嘆した（エンドロールでは、彼ら全員の絵をつないで映し出してほしかった。じつは彼らこそが、この映画の「陰の主役」であるのだから）。

そしてもう一つ、監督は文字通り死に物狂いになって、ひとかけらでもいいから、どこかに「希望」はないのかと苦闘しているように思えた。本作には、原作にはないいくつかの仕掛けが施されているのだが、二つだけ挙げるならば、一つは冒頭のシーンが示すように東日本大震災とまっすぐにつながっていることである。もう一つが、カップルを含む「三様の家族劇」としたことである。そこに重要なヒントがあるのではないか。私はひそかにそうにらんでいるのだが、ともあれ「希望の有無」をめぐる答えは、劇場を出た後の皆さんにゆだねられることになる。「月」が照らすのは、じつは皆さんや私の姿でもある。

私がコメントを寄せることを許諾したということは、この作品の側に立つことの、おのずからの表明です。ただし、手放しで賛美しているわけではない、多としてはいるが条件付きですよ、こうすればもっとよかったのではないですか、ということも含まれている。奥歯にものの挟まったような書き方だと受け止められたとすれば、そのことによるでしょう。特に福祉の側にいる人たちから大いなる反発や批判が出ることは予想されましたので、末尾の、月は私や皆さんを照らしている、という一文に託したのは、どのような批判が出てくるか、その点にも私は関心を寄せていますよ、というほどの意味合いを込めていました。念のために述べておけば、「批判をするな」ではなく、「どんな批判が寄せられるか」ということです。

そしてもう一つは、津久井やまゆり園事件への関心がごく一部の人にとどまり、メディアからはほぼ消えてしまっている昨今、この映画が改めて、多くの人の関心を呼び起こすのではないか。私などがいくらくり返し「関心を持ってほしい」と訴えても果たせずに来たことが、『月』がその起爆剤となるのではないか。この映画への批判があるならば、どこが、なぜだめなのか、それを論じることによって新たな観点が見えてくるのではないか。そのせっかくの機会ではないか。

もちろん、映画作品として優れているかどうか、まずはそこが最初に問われるでしょう。言うまでもなくその受けとめは視聴した人たちの自由であり、評価もそれぞれのものであることは言うまでもありません。ともあれ、私の関心は映画それ自体の出来不出来であるとともに、あるいはそれ以上に、どう批判されるか(特に当事者や関係者の人たちに)、そちらの方にも強く向けられていました。今回特集を組み、私のコメントに忖度する必要はまったくない、自由に書いてほしい、と伝え、何人かの方に寄稿をお願いした理由はその点にあります。

(8)「商業映画」としてのリスクを背負うこと

作品自体に関する批評は別稿を用意していますので、オフィシャルサイトにコメントを寄せる際、どのようなことを考えたか、以下の点について述べておきたいと思います。

まず私は、「商業映画」というジャンルにおいて「津久井やまゆり園事件」を題材として取り上げ、その作品を完成させ、発表にこぎつけたという監督(プロデューサーや俳優を含め)の英断を多としたい、とそのことを最初に感じました。一般の商業出版にあって、両方の側からなされる批判の挟み撃ちに遭いかねず、いかにストレスフルかはすでに書いたとおりです。

加えて、莫大な資金を要する映画づくりは、当然多くのスポンサーの協賛を必要とします。それは、これまでの監督の実績と期待値に比例するはずで、興行的な失敗は、自身のキャリアに傷をつけることにもなりかねない、あるいは「障害者映画を撮った監督」という「色」が付き、今後の期待値に影響を及ぼしかねない。そんな大きなリスクがあります。それは書き手の新刊が売れなかった、などという事態の比ではないだろうと思います。それだけマーケットの規模が大きいわけです。

公開間際になって配給元であるKADOKAWAから、「障害者を出すな」というクレームが入り、中断の危機にあったことを石井監督がネットで公開していますが、「世間から批判されたら困る」という理由以上のことは伝えられなかったと言います。多数者の側がこの事件や「障害者」の存在をどう考えているか、興行的にどれだけリスクが大きいと受け止めているか、まさに象徴的な事態だと私には思えました。

このような配給側の反感・反発と、多数者そのものであるマーケットを相手に、『月』という作品をもって勝負を挑んだということ。そして「「善意の声」の向こう側に、この声が決して届かない大きな俗世間の壁」（強調―引用者）があり、壁の向こうの存在とは、善意も理解も関心もない圧倒的多数者であり、そこに向けて「声」を届かせようとしていること。それが、「この映画の側に付く」と私に決断させた大きな理由です。

(9)「匿名」を強いられる暴力、「匿名」による暴力

ちなみに村瀬さん、この間、インターネット上に現れた『月』への感想をいくつか見てきました。関係者のそれははたして批判的なものが多かったのですが、なかに、映画を実際の事件と重ね、あたかも再現ドラマであるかのように受け取って、ここが不正確である、ここは間違っている、ちゃんと取材をしたのか、といった批判がありました。その程度の初歩的な誤解は、まあ黙って通り過ぎてもよいかなと受け止めていました。ところがあるブログを目にしたときに、足が止まりました。

私は、基本的にSNSは議論の場ではないと考えている、時代遅れの人間です。そこでの議論には応じないようにしてきましたし、ブログ上に匿名で書かれる批判も取り上げないことを原則としてきました。そんなわけで、以下の言及には忸怩たる思いがあるのですが、『月』を「クソ差別冷笑詐欺映画だ」と酷評し、激しく罵倒する（個人攻撃とさえ言っていいような）内容のものがあり、さすがに看過できないものを感じました。排除と排斥が全編を貫いている、そういう糾弾の論理なのです。

それに対して私が反批判をするのであれば、本来ならばタイトル、執筆者名、出典をあげ、必要に応じて引用も惜しまずに行ってなされるものです。それは最低限の、批判対象者への礼儀です。しかし前述したような理由で、そんな内容のものだったという指摘にとどめます。私自身は『月』が「差別映画だ」とは全く感じなかったのですが、そのブログに対し、多くの人が、賛意

（いいね）を寄せているのを見て、自分の感度が錆びついたのかと、つい、不安を覚えたほどでした。そして、いささか暗澹たる気持ちになりました。

以後の私の論評は、このブログに直接向けられているというよりも、激しい攻撃を剥き出しにしてなされる糾弾的告発一般への批判、と受け取っていただければと思います。

まず、映画『月』に差別性を感じたかどうかは一人一人の受け取り方であり、そのことの是非はもちろん問いません。何をどう批判するかは、論者一人一人の自由です。私の感想と真っ向対立するとしても、なるほど、こういう見方もあるのかと、受けとめる用意くらいはもっているつもりです。

これまで述べてきたように、告発的糾弾という激しい攻撃的批判の仕方が、いかにこの問題を「囲い込んで」しまうか、二項対立を強くし、その連鎖となるか。糾弾し、攻撃し、このようなものはあってはならないと、排除しようとするロジック。この在り方こそが問題です。攻撃と排除の対象こそ代われ、これでは植松聖が振るいかざした「重度障害者」排除・抹殺の論理と同型です。喩えていうなら、「植松聖」に向ける批判の論理が、彼が用いていたロジックそのものになっているならば、いったい何のための批判か。

しかもそれが匿名でなされている。この点も私には看過できないものでした。やまゆり園事件のあと、被害者が匿名とされたことにたいして、激しい批判と反発が向けられたことはご存じのとおりです。そのブログへの賛同者たちは、それとこれとでは問題が違う、ネット言論にあって匿名執筆はすでに慣習化し、ブログ文化として広く受け入れられている、したがって問題はない、と返されるでしょうか。しかし、本を匿名で出版するなどということは、およそあり得ない。そんなことをしたら著作としての社会的な信頼はゼロではないか、とも思われるのですが、そんな比較自体、時代感覚がずれまくっていることの証左だと、それこそ冷笑されるのかもしれません。

やまゆり園事件の被害者たちが有無を言わせず「匿名」にされたことは、ある力によって暴力が行使された事態だった。誰がそれを行使したか。「世間」という匿名存在です。あるいはまた、インターネット上での匿名による大掛かりなバッシングという暴力が、対象者を死に追い詰めることさえあるという事実は、すでに周知されているはずです。『月』に反感を覚えた視聴者は、よくぞ書いてくれたと留飲を下げながらこのブログを読んで、賛意を示したのかもしれません。

しかし、「匿名にされた（強いられた）暴力」と、「匿名によってなされる暴力」。これは、「匿名問題」のもつ両極の事態ではないか（お前のこれまでの「事件物」の本も、加害者が匿名で書かれているではないか。そう指摘されるかもしれません。なぜそのような判断をするのかは、すでに何度か、著書の中で書いていますのでくり返しません）。目にした限り、匿名問題について触れたコメントはありませんでした。

この執筆者も福祉の現場で働く人のようですが、おそらくは現場では心がけてきたはずの、共生、共感、包摂、寛容、合理的配慮、人権、尊厳、多様性と言った理念に通じるものは欠片もありませんでした。ことごとく裏切っている。ことごとく裏切って、植松と同じ論理に立っている。

私がなぜこの点にこだわるかといえば、政治や経済、事件など、社会問題一般への論及ではなく、「障害者差別への反論」を主題とする言論だからです。

このブログの執筆者は、「壁」の向こうの多数者もまた、「障害当事者」にたいし、善意や共感をもち、関心を寄せている、そのような人たちによって成り立っているのだと考えているのではないか。それが裏切られた故に、あれほど激しい攻撃感情となったのではないか。そんなことも推測しました。仮にそうだとしたら、それは大きな誤解です。いささか厳しい言葉を向けるならば〝甘い期待〟ではないだろうか。やまゆり園事件の被害者への「匿名」を強いた存在こそ、この「壁の向こうの圧倒的多数者」だったはずですから。

(10)「自分たちの福祉からなぜ植松は出てきたのか」と、どうして問わないのか

私が感じた疑義はもう一つあります。先のブログの執筆者は、自分たちの福祉は、『月』に描かれたようなひどいものではない、もっと良いものだと訴えているのですが、もしそうであれば、問いかけはすぐに反転します。「ではなぜ、そのような良い福祉から「植松聖」という人間が現れてきたのか」というように、自分に返ってくる。しかしこのブログには、そのように自己を省みるまなざしは残念ながら私には感じられませんでした。

いや、この執筆者だけではありません。福祉の側（少数の側）から、「自分たちの福祉からなぜ植松は出てきたのか」という問いを自分自身に向け、この事件の深層にまで分け入って考察を深

めた仕事がどれくらいあったか、と考えると、残念ながら危惧を覚えてしまうのです。

私もメンバーとして加えさせてもらっている「津久井やまゆり園事件を考え続ける会」は、今もって粘り強い活動を続けている数少ない例でしょう。RKBの記者である神戸金史さんとは、そこでときどきご一緒させてもらってきたのですが、彼は今度『リリアンの揺りかご』という劇場版のドキュメンタリーを制作し、発表しました。

事件以来、神戸さんは、『SCRATHC　線を引く人たち』（二〇〇七年）というラジオドキュメンタリーをつくり、それを映像化した『イントレランスの時代』（二〇二〇年）を、というように持続的に事件を主題化してきました。これまでのテーマを深めるようにしてつくられたのが、『リリアンの揺りかご』です。

詳細を紹介する余裕はありませんが、障害をもつ御子息をめぐる植松死刑囚との面会（対決）が一つのストーリーとなり、「安楽死」させていい命などないと訴える主題。在特会のヘイトデモや関東大震災の「朝鮮人虐殺」はなかったとする歴史修正主義者と、それを抗議しつつ取材する記者たちのルポが、二つ目のストーリー。『リリアンの揺りかご』というサイレント映画がその二つをつなぎながら、社会の「不寛容」をあぶり出していく。私には、野心的なドキュメンタリー作品と感じました。そしてもう一つ、この事件を「風化」させてはいけないという、作り手の強い意志もそこには感じられました。

これは「津久井やまゆり園事件の深層と真相は何か」という問いへの、「少数の側」からなされた稀有な例です。しかもその問いが、植松死刑囚によって与えられた自身の「痛苦」とともに問われている。

(11)『月』への批評の言葉は〝合わせ鏡〟である

さらに次のようなことも考えました。「障害当事者の人たちが、地域での暮らしを望むことは正当な要求である」という考え方や理念は（それがどこまで実現されているかは別としても）、関係者にあっては、ほぼ共有されたものであると言ってよいと思います。そして地域に出ていく。

地域生活とは、単に住まいの場所がそこに移っただけではなく、地域の人たちと様々な交流をもち、暮らしていくためのネットワークをつくり上げていくことでもあります。その一員として加わることを望んでも、「こんなことができないようでは、私たちのコミュニティには、参加させられない」と拒否されたり、門前払いを食わされたりしたことも、少なくなかったはずです。そのとき、どんな言葉が地域の人びと（多数者）の側から向けられてきたか。

今度は立場が逆転します。「少数」の側に、石井裕也というそれまで「多数」の側にいた監督が、『月』という作品を携えて参入してきた。どう迎えるのか。受け入れるのか受け入れないのか。受け入れらないならばどうしてなのか。ここは合わせ鏡になっている。繰り返しますが、多数者の側に入っていこうとしたときに向けられた言葉と、多数者の側がこちらに入ってきたときにそこに向ける言葉とは、合わせ鏡になっています。そのように考えたのです。

この程度のことも理解しないようでは、自分たちの仲間とは認められない、と同じ言葉を、こんどは多数の側に向け、そうやって門前払いを食わすのか。『月』という映画における「障害観」が問われているように、そこに向ける私たちの言葉も同じように問われている。私たちにとっても試金石である。オフィシャルサイトのコメントに「月は私たちを照らしている」と、書いたときにはそこまで考えが及んでいなかったのですが、ブログを読んで一気に加速し、こんなことも考えたのでした。

もう一度、竹田さんを引用します。

> ところで、少数者差別の基礎は、人々にとって少数者に対する自分の優越感、また蔑視や違和感が惰性的に〝感性化〟されていることである。ここに、適切な「異議申し立て」の難しさがある。少数者の「異議申し立て」が多数者（優勢者）に対する〝怒り〟や〝反感〟としてしか伝わらなければ、多数者はこの感性化された価値観を自ら問い直してこれを〝書き換える〟内的な動機を持たないだろう。この結果彼らは、タテマエの上でだけ少数者の主張を認めるが、心意としては逆に少数者に対する違和感を保存しつづけるだろう。この結果「囲い込み」の現象がますます進行するのである。（前出「「少数者論」の再検討」）

「倫理（ともに）と美学（ととのえ）」という村瀬さんの問題提示に触発され、竹田さんの「在日論」を改めて手に取ることになりました。その要点を確認する作業のなかで、お二人の「障害者論」や「在日論」の在り方は、映画『月』をめぐる批判という問題へ接続している。そう直感しました。作品としての出来具合とともに、あるいはそれ以上に、どんな批判が寄せられるかについて、私がなぜ強い関心を持ったのか。『月』が試されていたように、私たちにとっても試金石だった。

なぜ試金石なのか。竹田さんが、ここに述べている通りです。「〝怒り〟や〝反感〟としてしか伝わらなければ」、タテマエとしては認めても、「『囲い込み』の現象がますます進行する」ことになる。「差別」とは、差別する側の問題であることは言うまでもないのですが、同時に、差別される側が、反批判の返し方をどう成熟させていくか、そういう問題でもある。

もう一つだけ、あえて余計なことを加えるならば、先のブログの書き手が、なぜあれほどまでに感情をむき出しにした攻撃的な文章を書くことになったのか。屋上屋を重ねるような推測になりますが、あの書き手は、村瀬さんの言う「倫理（ともに）」と「美学（ととのえ）」の問題と、つまりは自身の「内なる植松聖」という問題と、事件以降、施設職員として自分なりに向かい合ってきたのではないか。

そんなふうにして苦慮しながら過ごしてきた時間を、映画は一つとして掬い取ってくれてはいなかった。むしろ無にされてしまったような痛苦と怒りを覚えた。その落胆の大きさが、あの不寛容そのものであるような、激しい論調となったのではないか。であるならば、いやであればこそ、せめて匿名ではなく実名で書いてほしかった、「植松聖」と同じ側に立つロジックではなく、また別のロジックを見せてほしかった。そのようなことも感じたのでした。

村瀬さんの幅広い問題の投げかけに対し、私の方は、「障害者差別」どう批判するか、という主題に狭めてしまった感があります。申し訳のないことしきりなのですが、こんなことが、私の返信になります。

（二〇二四年一月一一日）

〔第一〇信〕村瀬　学

「松本人志問題」から「世界史」への視座を——あとがきに代えて

(1)「芸のためなら女房も泣かす」

そのつど起こる時事に、少しの普遍性への予感を感じながらお便りを書いてきたのですが、今回の「あとがき」を書く時点において「松本人志問題」なるものが出てきて、これに触れずして終わることができないような気もして、少し長くなるかもしれませんが、大事だと思うところを書いてみたいと思います。

二〇二四年新年からマスコミを賑わせている「松本人志問題」は、「性」にかかわるだけに複雑怪奇で、得体の知れない不気味な、かつ怪しげな光を放つ問題だと思っています。「たかがお笑いイベント」とか「誰でもやっている芸人の遊び」の文脈で語られる出来事と、「性被害」や「女性蔑視」の文脈で語られる出来事と、週刊誌の売り上げを伸ばしたい側の思惑の問題と、芸人の上下関係や、擁護派批判派の発言力争いの問題、大本営吉本興行本社の対応、テレビ番組制作現場の地殻変動、スポンサー企業の素早い警戒反応などなどで語られる次元の問題などが入り組んで、そこに「裁判」やら、SNS上の言いたい放題も入り混じり……、なにがなにやら、という様相です。

おそらくは半年もしたら、こんなマスコミ騒乱も、人々の記憶から消えてゆくのは目に見えているのに、そんな出来事のどこに「普遍性」があるのだろうという感じです。多言はいたしませんが、一つわかることは、「性的なもの」を「遊び」として体験してしまう私たちの誰ものが、この「事件」から無傷で発言できることはあり得ないということです。そのことを前提にした上で、ある一つのことに絞って「普遍性」への手がかりを考えてみたいと思います。

「芸のためなら 女房も泣かす それがどうした 文句があるか」(『浪花恋しぐれ』)という、どアホ、初代春団治をモデルにしたという歌があります。戦後の高度成長期、カラオケに行くと酔って必ずこれを得意げに歌う輩がいたものです。『王将』のように「男の心意気」を歌いたい気持ちは多くの人にあったと思いますが、そのために「女房も泣かす」という下りや、それで「文句」はいわさんとか、「そりゃわいはアホや、酒もあおるし女も泣かす、せやかて、それもこれも、みんな芸のためや、今に見てみい、わいは日本一になったるんや」というセリフを意気揚々と歌われるのは、たいていの人は閉口したものです。いくら都はるみさんが好きでもね。

こういう「大阪芸人の美学」が、「松本人志問題」の底に続いているのに改めて気が付かれた方がいるはずだ、というのがここでの私の言いたいところです。この「美学」、つまり「芸(美)」のためなら「女を泣かす(倫理の停止)」を公然と認めさせるという芸風。この猪突猛進型の古風な生き方がもてはやされたのは、一昔前の時代のはずなのに、高度成長をうながす資本主義の広がりと、そこから生まれた消費優先の考え方が、新らたな考え方の「芸人」を作り出してきたような気がします。高度成長を支える国策として、「正社員のためなら、派遣社員を泣かす」という法が実施され始め、労働者が「消費」の範疇に入れられるようになったのと歩調を合わすかのように。

(2) タモリ、たけしとの違い

そんな時代背景の中で、ダウンタウンも生まれ活躍していたのですが、そういう時代から彼らの受け取っていたものが、「芸(お笑い)のためなら女を泣かす(倫理の停止)」という一昔前美学の思考で、その時代錯誤の思考が改めて明るみに出されたのが二〇二四年新年からの一連の文春報道だったように思います。といっても、この流れは、「ジャニーズ性加害問題」への批判の流れをうけてのことであり、さらには二〇一七年からアメリカで始まった「#MeToo」の運動を受けてのことでした。時代の流れが、「美学」優先の時代から、「倫理」の回復を求める時代に切り替わる土壌が作られてきていたことは確かでした。そんな中で、芸能人の誰もが、たたけば埃のでる性生活を過ごしてきていながら、なぜこの時期に松本人志だけが、このように「問題」にされてきたのかは、「ジャニーズ問題」や「#MeToo」運動があったからという「流れ」だけからでは「説明」できないのではないかという気がします。もっと根深い問題があったからではないかと。

そこには松本人志の芸風が、「笑い芸（美）」のためなら「女を泣かす（倫理の停止）」というローカルな思考を、どこかで本道と間違えてきた付けが溜まってきていたという問題です。このことは、高度成長期にマスコミで脚光を浴びだした、タモリ、ビートたけしなどにも降りかかってきていた問題で、「お笑い」で頂点に立てば立つほど、なんでも「お笑い」に引っかければ許されるという価値観への危惧でした。

そこで彼らは「お笑い」とは別の番組（領域）にもコミットして、自分が「笑い芸」一極にいないことを、視聴者にもイメージづけ、自分でもその未知の分野を学ぶ研鑽を続けていったように思われます。その別の未知を列挙しますと次のようになるでしょうか。

タモリ　――「ブラタモリ」。地理学、地域学、歴史を紹介する番組

たけし　――「たけしの天地創造」「たけしの芸能史」最先端の科学や、過去の埋もれた歴史の紹介。

もちろん、蔭では「お笑い芸人」が「賢く見える番組」をあえて手がけてきたと言われましたし、そういう側面もたぶんにあったかと思います。でも、「お笑い芸人」なら誰でもそのような番組が維持できたかと言えば、そんなことはなかったのです。その分野への地道な下勉強は必ず持続して続けてゆかなくてはならなかったからです。

そうした人たちに比べて、では松本人志の手がけてきたことは何かと言えば、「お笑い芸人」だけを集めて、そのかなめとして取り仕切るような番組が目立ちました。そういう、特権化した分野だけの頂点に立ってもの申すような番組が。そんな彼の活躍を要約すれば、次のようになるでしょうか。

まつもとひとし　——　お笑い大日本人風オレ様キン肉マンの誇示

つまり、特権化した狭いお笑い界で、自分を巨大化してみせるキン肉マン的な誇示の芸風に進んでいったということになり、こういう進み方と、他の天才芸能人が目指してきた「お笑い芸」を特権化させずに、他の分野の中に位置づけする努力との違いを見ておくのがいいかと思います。

結局「お笑い界」という一分野だけを絶対化し、すべてがお笑いにできるとか、お笑いにできないものはないというふうな価値観が熟成されてゆくと、お笑いにならないもの、お笑いにしてはいけないもの、それが実は「倫理的なもの」なのですが、その境目があいまいにされ、相手が泣いていても（その理由が「倫理的なもの」なのですが）、「笑い」のなかで許されるような行動をすることになり、その行動が「告発」のような形で、噴出してきていたのではないか。タモリやタケシには、その危険性が察知されていて、「お笑い界」を自分の中で絶対視させないような歯止めの工夫がされてきていたのではないか、と。

(3) 吉本隆明の松本人志の「芸」批判

ここで吉本隆明『消費のなかの芸』（ロッキング・オン、一九九六年）の中の「松本人志『遺書』『松本』」が、現在の「松本人志問題」を預言的にいい当てているところを紹介しておきます。吉本さんはこの批評の中で、くり返し松本人志の芸が「たけしやタモリほどにも到達していない」ことを繰り返して述べています。その理由は、お笑いの舞台と素人の観客の境目を解体するかのように、たけしやタモリは動いてきているのに、松本人志は、自分をお笑いの天才に見立てることに固執するあまりに、「オレの笑いがわかるものを賢い奴」とし、「オレの笑いがわからないものを頭の悪い奴」として区別しているようなところが、「時代」が読めていないところだとしています。

吉本さんが、『遺書』『松本』から次の三点を引用していました。

①じぶんたちの話芸（笑い）はレベルが高いから、レベルが高い客でなければわからない。

お笑いの世界で天下を取るということは、たくさんの人に支持されているということではなく、「いかに笑いのレベルの高い人間に支持されているか」ということだ。
②ふつうのおっさんになるのはいやだ。家族は百害あって一利なし。
③オレにとって好きなヤツ《頭の良い奴》。嫌いなヤツ《頭の悪い奴》なのだ。オレのファンは頭が良いから好きだ。オレのファンじゃないヤツは頭が悪いから嫌い。

こういう「レベルの高い人間」と「レベルの低い人間」、「頭の良い奴」と「頭の悪い奴」という分け方は、特別なものではなく、「芸（美）」に固執するものには特有の価値観であり、その後現れる「容姿」や「頭の悪さ」を嘲笑したり蔑視することで笑いをとる人間観に通じるものもあります。松本人志が「告発」された「女性蔑視」の立振舞には、どこかしら「障害者蔑視」に近いものがあるんですね。それが「倫理的なもの」の軽視です。といっても「芸（美）」を絶対視すればするほど「倫理的なもの」が軽視されてゆくのは当然のことなのですが。この「倫理的なもの」が問われるのが「家族」の次元です。でも吉本さんは先の引用の②で松本の「ふつうのおっさんになるのはいやだ。家族は百害あって一利なし」を引用していました。この「家族軽視」の発想は、彼の核心を形成するもので、吉本さんはもう一ヶ所引用していました。

いやーだれが決めたか知らないが、結婚というものは、おっそろしいものである。いつ家に帰っても同じ女がいるのだぞ……ギャー。考えただけでも身の毛がよだつ話である。さらに、新婚当時は若くてそこそこきれいだったその嫁が、年を取り、ヨボヨボになっていくのだぞ……ウゲーッ。手に汗にぎるお話である。また、そのヨボヨボが、夜、ネグリジェを着て求めてきたりしたら、ある意味ヤクザである（なんのこっちゃ）。

（松本人志『遺書』朝日新聞出版、一九九四年）

モナリザの「美」はいつも不動のものですが、家族を営むものは、共に歩むものの変化を受け入れてゆくものです。「倫理的なもの」が培われるのはまさにそういう変化の受け止めの中からでした。でもここには、そういう変化を拒む発想が「偉いこと」のように語られています。「新婚当時は若くてそこそこきれいだったその嫁が、年を取り、ヨボヨボになっていくのだぞ……ウゲーッ。」などと。

吉本さんは、こういう書き物を引用しながら、こう論じていました。

たぶんこれがダウンタウンのお笑い芸の本源の部分のひとつだ。ほんとは深刻な、男女の性の実相をうがっているほどお笑いになっているといいたいところだが、そうではない。本人の資質と未熟な若さとがさらけ出されていることがお笑いになっているのだといっていい。資質（結婚とか凡庸な生活の繰り返しとか）がお笑いになっているのは、未熟な若さが判断を中止させて男女の性の実相を曲げてしまうからで、深刻な実相を掘れば掘るほどお笑いに迫ってくるというほどいいお笑いではない。それがダウンタウンのお笑いの場所だとおもう。

松本の芸人人生で、どのように「倫理的なもの」が熟成されていかなかったがよくわかる記述ですが、その後熟成されていれば、今回の一連の女性からの「告発」は生まれなかったのではないかと思われるところです。そこのところを吉本さんは、「未熟な若さが判断を中止させて男女の性の実相を曲げてしまうから」と指摘されて批評を終わらせていたのですが、この「判断の中止」と指摘されていたものが、「倫理の停止」のことであり、なぜそこから熟成させる時間はたっぷりあったはずなのに、そういうことを意図的に拒否することが「偉いこと」で、「笑いの天才」をつくるものだと勘違いしてきたことのツケが回ってきてのだと思われます。

最近の話になりますが、関西系のテレビ番組『探偵！ナイトスクープ』で「9年ほど髪の毛を切らず腰まで伸びている夫の髪を切るお手伝いをしてほしい」という依頼を受けて「探偵」が対応する回（二〇二二年七月二九日）がありました。詳細は省きますが、最後は、ぴこぴこハンマーで相手を叩いて勝負を決めることにして、当然体力腕力のある夫が勝ちました。局長の松本人志は、いつものようにどっと笑わせる一言を放って番組を締めくくろうとしたのですが、顧問のキダ・タローはニコリともしないで、こういう依頼を、明らかに女性が不利な条件で決着を付けようとしたのは間違いだと言い切りました。「倫理的な対応」が求められている依頼を、「笑いを取ること」ですませようとした松本人志への痛烈な批判がそこに見られて、ハッとしたことをよく覚えています。

(4)「松本人志問題」から「世界史」へ

「松本人志問題」は、誰もが性愛を我が事として感じるところの出来事ですから、人ごととは思えず、批判したり、擁護したり、同情したり、あきれかえったり、お説経したり……と一言いいたくなる出来事です。私はこの出来事の中で、週刊誌が最初に報道した記事が、二〇一五年に性的な行為を強いられたと証言したことの記事からだったというところに関心を持ちました。ここで、十年近くも前の出来事で「訴え」られるのかということが「問題」にされたり、「時効」というものがあるだろう、などといわれたりし、いや「心の傷」は何年経っても癒やされることがなく甦ってくるものなので、きちんと受け止める必要がある、ということが言われたりしてきました。「実情」は、裁判の中でしか明らかにはされないのでしょうから、この件では、第三者は憶測でいうことは控えなくてはなりません。

ただこの一連の報道を見ていて分かることがあります。それは、「そんな過去のことを今さら」ということが通用しない時代感覚が広がり始めているというところです。そしてこの流れは、多くの芸能人たちの活動の仕方に大きな影響を今後与えてゆく事になっているのではということです。つまり新しい倫理感覚が、無視できない感覚として共有されはじめているのではないかと。

つまり、裁判の結果がどうであれ、女性たちの「告発」が、個人の体験を超えて、「歴史の感覚」として、大きな流れとして共有されはじめることになっているのではないかということについて。

佐藤さんとこの往復メールを、身近に起こることの考察から、「世界史」につながる道を見つけることを課題としてきました。この「世界史」をもし、「隷属状態にあった過去のイメージ」を呼び起こす作業から見出されるもの（ベンヤミン（『歴史の概念について』））と考えうるなら、今回の「告発」もそういう作業の一つになり、批判や誹謗中傷を受けながらも、共感する人たちの感性を育て、「歴史感覚」になってきている過程を見てゆかなくてはいけないと思います。「隷属状態」とは「倫理の停止状態」の別名であり、「公けな声にできない状況」の別名であり、ある意味では「I　ウクライナ戦争」で述べていた四つの次元の1番目の「『惨状』の理解」（本書、三頁）の別名でもあるように思いますから。

私なら「美（国家の美学・企業の美学・マスコミの美学・芸能界の美学・教育の美学・福祉の美学など）」が力を持つ中で、「倫理の停止」を余儀なくされてきた人々が「声を上げる」「告発する」中で手に入れる世界観が、「世界史」を創って行くのではないかということを思っています。

そして、昔、松本人志が出てきたコマーシャルを思い出しています。

運も実力のうち？　何ぬかしとんねん　運は運や　ほんまの実力見してみい

ビシッとドット　ちょっとビターな缶コーヒー
ええ気になんなよ

（二〇二四年二月九日）

佐藤幹夫（さとう・みきお）
1953年生まれ。秋田県出身。2001年よりフリージャーナリストとして活動するかたわら、批評誌『飢餓陣営』の主宰者として、思想・文学・心理学など幅広い分野で評論活動も行う。著書に『一七歳の自閉症裁判』（岩波現代文庫）、『知的障害と裁きドキュメント千葉東金事件』（岩波書店）、「評伝島成郎」（筑摩書房）、『ルポ闘う情状弁護へ』（論創社）『津久井やまゆり園「優生テロ」事件、その深層とその後』（現代書館）、『「責任能力」をめぐる新・事件論』（言視舎）など多数。

村 瀬　学（むらせ・まなぶ）
1949年生まれ。京都府出身。同志社大学文学部卒業。同志社女子大学名誉教授。2010年に第34回日本児童文学学会奨励賞を受賞。著書に、『宮崎駿の「深み」へ』（平凡社新書）、『10代の真ん中で』（岩波ジュニア新書）、『初期心的現象の世界」（洋泉社MC 新書）、『「あなた」の哲学』（講談社現代新書）、『長新太の絵本の不思議な世界』（晃洋書房）、『徹底検証古事記』『古事記の根源へ』（共に言視舎）、『いじめ』（ミネルヴァ書房）など。

ウクライナ、ガザ、そして「松本人志問題」へ
――「世界史的課題」に挑むための、私たちの小さな試みⅡ

2024年 7 月20日　初版第 1 刷印刷
2024年 7 月30日　初版第 1 刷発行

著　者　佐藤幹夫　村 瀬　学
発行者　森下紀夫
発行所　論 創 社
東京都千代田区神田神保町 2-23　北井ビル
tel. 03（3264）5254　fax. 03（3264）5232　web. https://www.ronso.co.jp/
振替口座　00160-1-155266
装幀／宗利淳一
組版・印刷・製本／精文堂印刷
ISBN978-4-8460-2395-9